韓国はどこに消えた!?

世界から見捨てられた国の哀れな末路

髙山正之　渡邉哲也

Masayuki Takayama　Tetsuya Watanabe

ビジネス社

まえがき——韓国を断捨離せよ

髙山正之

明治天皇御製《おおみうた》の「よものうみ　みなはらからと思ふ世に　など波風の　たちさわぐらむ」が好きだ。

心穏やかに生きたいと思う。それが地下鉄に乗るたびに乱される。駅の表示に、あるいはドアの上のパネルに出てくるハングル文字だ。読めないし、読みたいとも思わない。

漢字に造詣が深い樋泉克夫教授は正直に漢字の羅列は実に汚い。漢字の看板が溢《あふ》れる街角はほとんどごみ溜めだと言った。

確かに視覚的に汚い。だから日本企業は松下電器も旭光学も漢字名をやめてパナソニックやペンタックスにした。

その意味でハングルは漢字よりひどい。見た目に異様で、意味不明で、美しさもない。そんなモノを無理に視界に流し込まれるのはほとんど心理的暴力行為だ。

駅の表示は日本語で書かれ、ローマ字もつく。英語が分かる外人ならそれで十分だ。

そこにあるときから簡体字とハングルが付いた。なんで付け足したのか。鉄道は国土交通省の所轄だ。そこはずっと公明党から大臣が出ている。勘ぐれば爆買い支那人のために簡体字を掲示せよと媚中派の公明党が指示したのだろう。

ではハングルはなぜ加わったか。彼らは爆買いはしない。来れば神社仏閣を壊すか火をつけるか。犯罪者のためのハングル語の道案内などいらない。

彼らがよく来る対馬にはハングルの標識が多い。訳してもらったら「立小便禁止」「ごみを捨てるな」。

それは必要だが、田園都市線にハングルはいらない。いや、国際化時代だからと公明党は言うが、ハングルに国際的な奥行きはない。韓国朝鮮人以外に読める者は少ないし、満洲語ほどの歴史もない。

いや在日がいると国土交通省は言い訳するが、それもない。盧泰愚《ノ・テウ》のとき、法務省が特別在留許可に違反した在日の送還を伝えた。一般の外人は売春か麻薬か、懲役一年以上の罪を犯すと国外追放される。しかし在日は懲役七年以上、つまり殺人事件を起こして、やっと追放できる。そういう有資格者が何十人も溜まった。それを引き取れと言った。

そしたら盧泰愚は「彼らはハングルも読めないし韓国語も話せない」から祖国に帰すと可哀そうだと泣きつき、海部俊樹は了解した。在日もハングルは読めない。

誰も読まない地下鉄のハングルはすぐ消すべきだが、日本人は人が好い。大らかで、たとえ醜いものでも目一杯我慢する。

しかし在日も文在寅も「読まれないハングルは外していい」とは言わない。逆に日本人のお人よしに付け込む。イチゴの「あまおう」の苗を盗み、大儲《おおもう》けし、とろい日本人を嘲《あざわら》う。

日本人はそれを薄々知りながら、人が好いから知らない振りを続けた。

江戸期、朝鮮人は徳川新将軍の就任祝いに行くと言い出した。いわゆる朝鮮通信使だ。馬鹿な学者は漢字も仏教も朝鮮から伝わったという。文化国家からの使節だ。大事にお迎えしよう。

馬鹿を言え。最初の朝鮮通信使は室町時代に来た。メッキや紙漉《す》きや水車の作り方を教えてくれと言った。あの国にはずっと文化もなかった。

だから日本人は親切に教えてやった。

彼らは日本の乞食《こじき》が銭をもらっているのを見て驚いたと書き残している。朝鮮には乞食はたくさんいるが、貨幣経済はなかった。紙もなく、工業もなかった。そんな国から文化が来るか。

徳川期の通信使は豊かな日本にたかりに行くのが主目的だった。幕府は不承不承ＯＫを出したら四〇〇人の大部隊でやってきて丸一年、日本中を物見遊山した。その接遇に一回百万両かかった。

彼らは貧しいから幕府からのお祝いをもらっただけでなく、宿泊先の宿屋から食器も掛け軸も布団まで失敬していった。

それを見て五代将軍の侍講、新井白石が「通信使の断捨離」を言った。ただ廃止まで行かず、接待費を半額にさせた。宿屋にはいい品を出すなと伝えた。

京大に残る「朝鮮通信使洛中図」がある。そこには朝鮮人が鶏を盗み、町民と喧嘩をする様子が描かれている。

白石から百年、老中、松平定信も通信使断捨離をもっと推し進めた。定信は朝鮮人に「いちいち江戸まで来るのは大変だろう」と「易地聘礼」つまりお祝いの応接は近場で済ますよう提案し、一一回目の通信使は対馬で接待させた。朝鮮人は日本での物見遊山が中止になり不平たらたらだった。それでも一年も対馬に長逗留して接待を受け続けた。費用は三八万両。断捨離は三分の二まで達成できた。

自分がかくも嫌われているのを知りながら尚たかり続ける情熱。お天道様に恥じて平然という根性は日本人の理解の及ぶところではない。そんな韓国人との隣づき合いを「引っ越しもできないから」と諦める日本人は多い。

朝鮮人とは「支那の易姓革命を5年ごと（大統領選の意味）にやっている異様な民」（北

村和義・愛知教育大名誉教授）という見方もある。なるほど五年ごとに前の王様を逮捕したり自殺に追い込んだり。その業績もあとかたもみな消し去っている。支那支配の短さでは則天武后の周の二十五年間がある。それより短い。多動性症候群に分類されそうだ。

そうした歴史観も踏まえ、できれば一〇〇％断捨離の道を見つけられればと時流の経済分析の達人、渡邉哲也氏とあの国を分析してみた。本書が今後の日韓の付き合い方の参考になれば幸せだ。

韓国はどこに消えた!?

目次

まえがき――韓国を断捨離せよ　高山正之　3

第1章　「韓国いらない」が世界の本音

韓国との関係は「断捨離」に尽きる　20
アフガンと朝鮮半島は似ている　21
中国のアフガン関与は前途多難　24
連動する極東情勢と中東情勢――バイデン政権でどう変わる　28
アメリカの対イラン政策は北朝鮮の運命を握る　31
慰安婦合意とＴＨＡＡＤミサイルは米対韓戦略の一環　32
在韓米軍はそのまま在台米軍になるか　35
陸戦をやめたアメリカの対中国戦略はどうなる　37
第一列島線、第二列島線とも関係がない韓国　40
日本にとって韓国は現状維持がベスト　42
ついに『防衛白書』も韓国を切り捨てた　43

韓国の反米という病　45
北の主導で南北統一か　46
双方にいい顔をしてすり寄る韓国が悲劇を招く　49
ロシアも中国も韓国を欲しがらない　50
習近平にとって邪魔な韓国国民　53
朝鮮半島の厄介さをよく理解していた大日本帝国　54
トランプが北朝鮮に歩み寄った意図とは　56
北朝鮮も韓国はいらない!?　58

第2章　押し付けられた朝鮮半島

世界史上存在感がなかった朝鮮半島　62
朝鮮の国名の由来は貢ぎ物が少ないから　64
朝鮮を嘆く朝鮮人儒学者　65
朝鮮と関わるとろくなことがない　66
日本の漁民を人質にして交渉カードにした李承晩　69

韓国を助けた仁川上陸作戦も否定 73
日本の敗戦で朝鮮の重荷を背負った米国 74
吉田茂が呆れはてた李承晩 75
ベトナムと日本の連帯感は強い 77
日比関係の深さから「桂・タフト密約」はあり得ない 80
日本を封じ込めるための道具としての朝鮮半島 82
存在感のない小国は自然と消える 86

第3章 国家の体をなさない「小中華」の非常識

なぜ中国と韓国は法を守らないのか 92
やむを得なかった韓国併合 94
国際法を遵守してきた近代日本 96
奴隷しかいない中国、さらにその奴隷民族韓国 97
「国家」概念の違い――国境、民族、言語とは 100
中東は部族対立をどう乗り越えて団結したのか 102

福沢諭吉がハングルを再評価して近代韓国語は生まれた 105
測量ができない、地図がつくれない韓国 109
「反日」しかない韓国のアイデンティティ 114

第4章 暴走する「無法国家」の末路

ずさんな輸出管理、韓国からフッ化水素が行方不明 118
国際法違反であり徴用工とは無関係 121
米中対立で韓国は八つ裂きに 126
韓国の常識では国際法より国内法が優先！ 128
新型コロナへの対応は旧内務省の防疫に学べ 130
法律の海賊版が横行 134
司法の独立なき無法国家 135

第5章 韓国がなくても平気な日本経済

韓国を勘違いしたアメリカの経済学者 140

「漢江の奇跡」は日本がつくった 141
一九九七年のアジア通貨危機が流れを変えた 144
日韓は「鵜飼」の経済構造 146
「アジアハイウェイ」と日韓海底トンネル 149
反日運動をすればするだけ損をする 151
ハブとして注目された仁川国際空港の凋落 154
お粗末な韓国人パイロットで事故が相次ぐ 156
韓国航空業界に貢献したのはＪＡＬを潰した前原誠司 158

第6章 忍び寄る韓国からの「見えない侵略」

在日朝鮮人を吉田茂いじめに利用したマッカーサー 162
戦勝国民のいい分でわが物顔 163
ビルマの収容所での残酷な朝鮮人看守 165
日本社会に浸透するやつら 167
〈朝鮮〉〈朝鮮人〉「在日韓国人」とは何か 169

在日利権と同和利権が手を結んでいる？ 170
美人局にやられる駐在員たち 173
時代の流れに翻弄される朝鮮総連と韓国民団 174
台湾はいつのまにか独立を果たしていた 176
法的に保護された在日韓国人 178

第7章 誰が大統領になっても「反日」につける薬なし

とうとう日本人にバレた「韓国の正体」 182
従軍慰安婦ビジネスも儲からなくなった 184
戦後七十年以上続く日本封じ込め 187
外圧を利用し徴用工で軍艦島批判 188
やっかいな交渉は外務省より経産省 190
ニュース源をロンダリングする朝日のマッチポンプ 192
朝日新聞の本業は不動産ビジネス、副業は新聞社 194
新型コロナが韓国と朝日新聞の消滅を加速化させる 196

来年の大統領選でも彼の国は変わらない 198
テロリストを慕う者が大統領選に出馬か 201
世代交代で深まる日台関係、薄れる日韓関係 203
日本にとって韓国は二百分の一でしかない 207
「礼儀正しく無視する」のが正しい付き合い方 209
海上保安庁も腹に据えかねた 211

終章 韓国はどこへ消えたのか

われわれが韓国を批判するようになった理由 216
韓国を揶揄したら、「殺」と書いた手紙が届いた 218
対馬海峡でわかった朝鮮半島の意義 220
韓国起源説の面白さ 222
日本では売れなかった韓国自動車 223
破裂寸前の不動産バブル 225
習近平版「文化大革命」が韓国にトドメを刺す 229

韓国左派と反日日本人の大罪　231

あとがき——断捨離後の半島動乱に備えよ　渡邉哲也　235

資料

日韓基本条約（日本国と大韓民国との間の基本関係に関する条約）　240

日韓請求権並びに経済協力協定（財産及び請求権に関する問題の解決並びに経済協力に関する日本国と大韓民国との間の協定）　241

アフガン「邦人救出」で問題になった自衛隊法　244

朝鮮半島軍事力地図

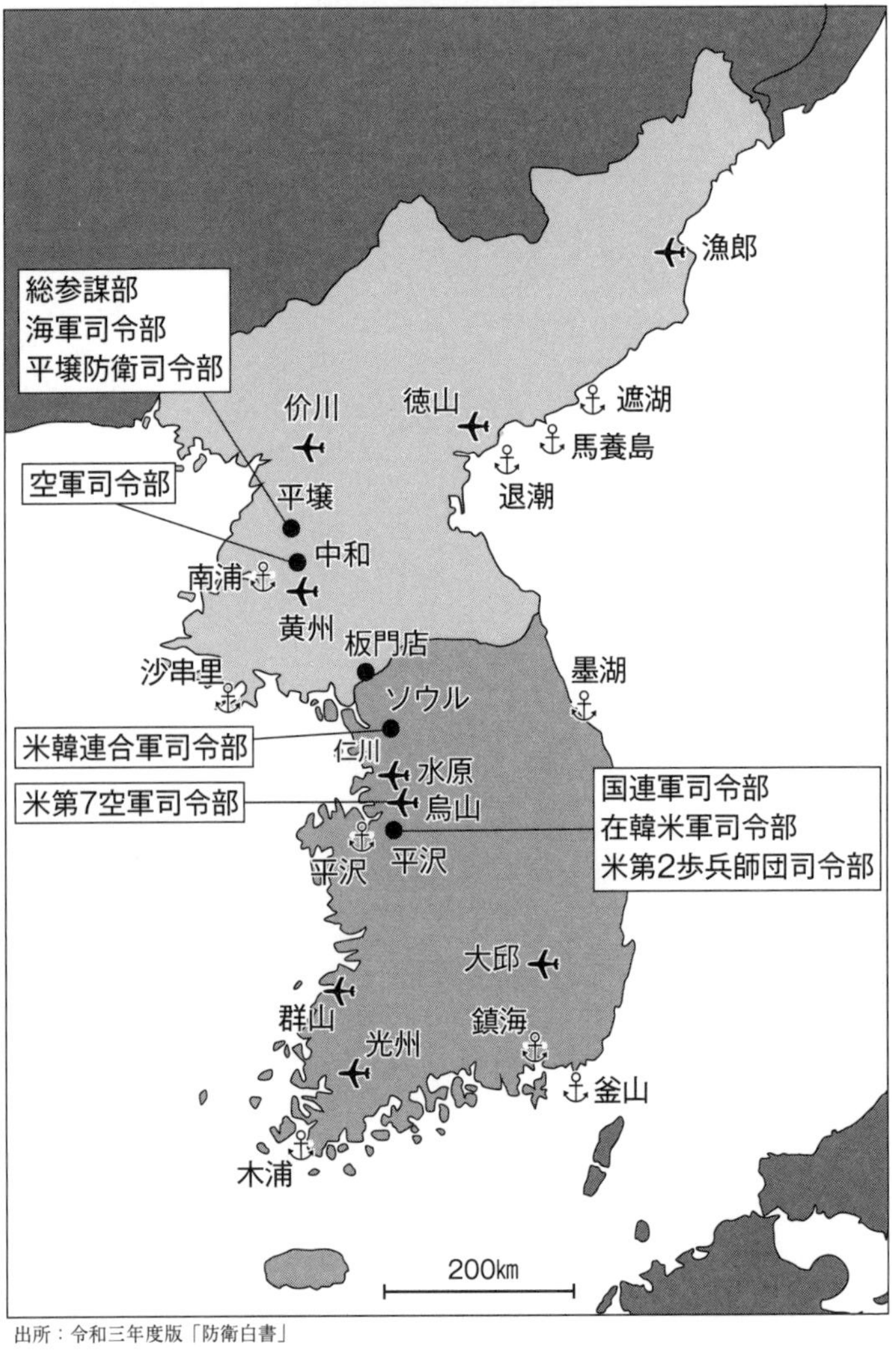

出所：令和三年度版「防衛白書」

第1章

「韓国いらない」が世界の本音

韓国との関係は「断捨離」に尽きる

高山　韓国にうんざりしている国民が増えて、さてこれからあの国とどう付き合えばいいのか、というテーマをリクエストされましたが、結論を先にいってしまえば、いっさい関わらず「断捨離」に尽きる（笑）。

朝鮮学の泰斗《たいと》、古田博司（筑波大学名誉教授）氏にいわせると「韓国はずっと古代だった」。まったくそのとおりで、私の基本的な認識もそう。日本統治によって近代化したけれど、それだって、アメリカのセオドア・ルーズベルト大統領が日本へのいやがらせに押しつけてきたのが発端だった。それで戦前はいわゆる日帝支配で面倒を見たし、戦後もまた、アメリカの命令で日本は保有外貨に匹敵するくらいの金を出して韓国の近代化の面倒を見た。

あの国は不思議とどこかの国とつるんでいる。だからあの国を単体で取り上げるのは、じつは非常に難しいテーマなんです。古事記の国生みではないけれど、失敗して生まれた泡みたいな、国とは呼べない国が韓国です。背骨もないからその時々にとりまく外国の状況しだいで形づくられるような非常に他律的な性格を持っている。

もういいかげんに自立していきなさい。冷静に歴史を見つめ、感謝をもって日本に接するなら、考えてやらないこともない、というところでしょうか。

渡邉　「考えてやらないこともない」という温かい態度だと、またえらい目にあいますよ（笑）。それはともかく、髙山先生がおっしゃるとおり、韓国というのは他律的でありながら、国際法よりも国内法を優先させ、条約を平気で反故《ほご》にする無法国家です。日韓関係においては、これまで何度もゴールポストを動かして、恬《てん》として恥じない。そのことについては第3章で詳しく議論したいと思いますが、まずは韓国をとりまく国際情勢から話を進めたいと思います。

アフガンと朝鮮半島は似ている

髙山　極東情勢を見る場合、これまでもそうだったように、アメリカが好きに弄《いじ》ろうとする。ところがそのアメリカがアフガニスタン撤退で混乱している。一見、日本から遠いようだけど、アフガンはアジアの要であり、ペルシャもロシアもインドも中国も眼下に見下ろす。ここを制すれば世界の覇者になれると、アレクサンダー大王もジンギス汗も英国も征服を試み、ことごとく失敗し、ソ連は崩壊までした。九・一一のあと、米国がアフガン戦争を始めたのをみてよせばいいのにと思っていたら、案の定の結末。だから驚きはまったくなかった。日本人は興味ないだろうけど、アフガン情勢はアジアに大きな影響を与えるうえに、実は朝鮮半島の地政学にも通じるところがある。まずはここから話を始めましょうか。

渡邉　おっしゃるとおり、アフガンは「帝国の墓場」と呼ばれ、征服を試みた大国が無残な失敗を重ねた歴史を持つのですが、じつは極東の位置付けとして朝鮮半島に似ているところがあるのではないか、と思うんですね。アフガンについては髙山先生がお詳しいので恐縮ですが、読者のために現在のアフガン情勢がどうなっているのか、簡単に解説させてください。

まず、日本人が初めに知っておかなければならないのは、島国である海洋国家のわれわれと、ユーラシアの国々、欧州、中東、アジアなどの「大陸国家」の人々の「国家」という概念はまったく違うということです。

海岸線というようなわかりやすい自然の国境線がなく、砂漠や草原を舞台に、力の角逐《かくちく》によって版図が拡大・縮小・変形・消失を繰り返すのが大陸国家であり、日本や欧米のようなネイション・ステート（国民国家）といえる国がほとんどありません。

なかでもアフガニスタンはパキスタン、イラン、トルクメニスタン、ウズベキスタン、タジキスタン、そして中国と国境を接し「文明の交差点」といわれるように文化や宗教が入り乱れている地域であり、言語も宗教もひとつでない。最大民族のパシュトゥーンが四七パーセント占める「多民族国家」です。

砂漠の地にいくつもの地方都市が乱立し、地域ごとに部族が異なっているなかで緩やかに支配しているのが、イスラム教スンニ派系過激派のタリバンです。この関係をわかりやすくいうとヤクザの「組」と「シマ（縄張り）」の関係に近い。

各都市、各地域で「タリバン」の看板を使っていますが、別の組織（リーダー）が支配している。つまり、タリバン組系○○組なんですが、日本の山口組とは違って、タリバン本部には地方組織を完全に従わせる力はない。それどころか構成員も同様で、タリバンの看板を利用しているにすぎず、都合に合わせ平気で看板を変える。それ以外にもアルカイダ系○○組もあり、いくつもの組織が乱立しているわけです。

親米のガニ前政権内にもタリバンがおり、タリバン以上の過激派が「アルカイダ」であり、ともに二枚看板や内通者が存在している。タリバンはガニ政権が抑えていた地方都市を次々に制圧し、八月十五日に首都カブールを陥落させた。タリバンが地方都市をほとんど軍事攻撃なしに落とせたのは、ガニ政権のなかにもタリバンがいたからです。

そこにさらに過激なＩＳＩＳ―Ｋが加わります。ＩＳＩＳ―Ｋ（正確な名称はIslamic State Khorasan Province（ＩＳＫＰ））は、アフガニスタンとパキスタンで活動するＩＳＩＳ（いわゆるIslamic State）の地域フランチャイズ、イラク・レバントのイスラム国（ＩＳＩＬ）の「ホラサン州」（ISIL-Khorasa）が発展したものといわれています。

要はタリバンの中の過激派が地域を問わない国際テロ組織であるＩＳＩＬと組んで、その地域のフランチャイズを行っている構造であり、現在、それがタリバンとアメリカの敵になっているということです。したがって誰が敵か味方がわからないのです。まさにこれが「帝国の墓場」といわれる所以《ゆえん》でもあります。

中国のアフガン関与は前途多難

髙山　いまの解説を聞いただけで十分ややこしいのは伝わったと思うけれど、アフガニスタンがやっかいなのは、地政学的にヨーロッパでいうスイスのような位置にある。戦略要衝だからどこかの国が取ると困る。それでスイスが「永世中立国」になったようにアフガンも本来なら永世中立国であってほしい。しかし、そこまで全世界的了解は得られないから、イギリスも旧ソ連もアメリカも他人に取られるよりは、と出ていって大やけどした。

というよりあの国をまとめようというのがそもそも無謀。「皇帝のいない支那」みたいなバラバラの国だからどこを落とし、だれを倒せば征服したことになるのか、わからない。

目下はタリバンがそれらしい形を見せているけれど、その本体は最大民族のパシュトゥーンが構成しています。とにかく残虐で、一九九六年、大統領だったナジブラはタリバンに制圧されたときに、袋叩きにあったうえ、公衆の面前で男性の生殖器を切り落とされ、血まみれになりながら絞首刑にされた。女性の人権がまったくないことでも有名です。「超」がつくほど排外的でアフガニスタンで善意で入り込んだ日本人も何人も殺されている。十九世紀に起きた英軍の「バラヒサールの悲劇」を知ればアフガンを領有するどころか、撤退するのさえ決死の行動であることがわかる。このとき英軍はアフガン族長のアクバルと話し合って了解を取ったのに他部族は「そんな話は知らない」と闇討ちして英軍は全滅した。このときたった一人の生存者が医師ウィリアム・ブライドンでシャーロックホームズの「ワトソン君」のモデルになった人物だ。今回は飛行機があるから無事に撤退できたがそうでなければ同じ悲劇を繰り返していたでしょう。

パシュトゥーンは外国人はもちろんのこと、同国人のイスラム教徒でも別民族には容赦なく弾圧する。特に北西部に住むモンゴロイドのハザラ族への敵対意識が強く、生皮を剝《は》いで殺したりしている。タリバンが破壊したバーミアンの石仏はこのハザラ族の居住地だった。

アフガニスタン北部のワハン回廊で国境を接する中国は、タリバンと対立するタジク人の国、タジキスタンを懐柔してタリバンの勢いを削ごうとしていますが、どうか。パシュトゥーンにしてもタジク人にしてもイスラム系ウイグルを弾圧する中国は潜在的に「敵」。彼らは敵の敵は味方にはならない。

渡邉　中国は天津で王毅《おうき》外相がタリバンの幹部と会談し、アフガニスタンへの支援を含めて関係構築に余念がありませんがうまくいくとは思えません。

ＩＳＩＳ―Ｋというのはタリバンを攻撃していますが、ウイグルを弾圧する中国も敵にしている。パキスタンから人民解放軍を追い出しているのが彼らです。

中国としては一帯一路としてアフガニスタンはその中心であるし、地下資源あるいは麻薬も欲しい。思惑はあるのでしょうけど、結局中国にとっては北朝鮮と同じ結果になるでしょう。つまり金だけ出して何も得られない。

中国は米軍のアフガン撤退で、一時的に勝利の美酒を味わっていますが、砂を嚙《か》むことになるのではないか、と見ています。

ひとつ言えるのは、ＣＩＡというとテレビや映画の影響で白人でカッコイイ男を思い浮かべますが、大半は現地雇用です。現地の協力者や工作員になるんですが、ガニ政権にもタリバンにもアルカイダにもＩＳにもいる（笑）。米軍は多くの兵器を残していったことは報道されてますが、これにはちゃんと意味がある。もし中国がアフガンにおいて一帯一路を進める場合、現地の人たちだけでは工事ができないからその管理監督を解放軍がやらなければならない。解放軍が入ってきたらタリバンの敵になりますよ。なぜかというとアメリカは潜入工作員を残して出て行ってるから。兵器もそのときのためのものです。

高山　それは高みの見物にいい。タリバンと交渉できると思っているようだけど、渡邉さんもいうとおり、トップ一パーセントとその下の九九パーセントは行動原理がまったく違う。タリバンの幹部は西側社会の価値観も理解してるし、頭がよくて外交上手。けれど残りの九九パーセントはみな盗賊のようなものだ。上の交渉で決めたことを下は守らない。だからうまくいくはずがないよ。習近平《しゅうきんぺい》にはぜひともアフガンに手を出して国家まで潰してしまったブレジネフの轍《てつ》を踏んでもらいたいところだ。

連動する極東情勢と中東情勢――バイデン政権でどう変わる

渡邉　問題はアメリカです。世界に「アメリカ敗北」を印象づけてしまいましたから。これは撤退自体に問題あるのではなく、その拙速さにあると批判しているのがトランプであり共和党であり、多くの議会関係者の意見です。安定的な統治とともに撤退をすべきであった、と。

アフガンからの撤退はオバマ政権下の二〇一〇年に決まっていたものの、状況がそれを許さなかった。ようやくトランプ政権になって二〇一七年からタリバンとの話し合いがもたれ、翌一八年には和平協定を結ぶことによってアメリカは撤退を決めた。しかしトランプが大統領選で敗北したため、和平協定後の話し合いがストップしてしまった。それをバイデン政権がどうするのかが大きな注目点でした。

ところがバイデンは、関連する中東政策への言及もないままに、九・一一から二十年を迎える二〇二一年になって、八月三十一日という撤退期限日だけを強行に決めてしまった。

実際、カブール撤退は、米軍含め日本の大使館など多くの人たちの準備期間がほとんどない状況で行われました。

情報機関などはこのままでは危ないとずいぶんバイデンに情報を与えていたようですが、大統領は無視をしつづけた。

さらにいえば、カブールが陥落するなかにあっても、キャンプデービッドで夏休みを楽しんでいた。

髙山　トランプ政権時代は米中対立が激化するなかで、北朝鮮に戦略的に手を入れようとしていた。親中派のバイデンになってこれがガラリ変わってきた。北に手を入れて対中国に楔《くさび》を打ち込もうとする展望もなく、ただ脅しをかけているだけみたいだ。

渡邉　トランプ政権の末期に北朝鮮はトランプを呼ぼうとしていたのですが、結局成立しなかった。会談して道筋をつくろうとしたんだけれども、コロナのせいもあったのか、トランプ側が拒否して結果的に何もできなかった。だからといってバイデン政権が北朝鮮に対する新たなビジョンがあるかというと、ないとハッキリいえる。

対中包括法案を用意はしていても、北朝鮮関係の議会法案はない。中国という巨大な敵が一番の問題であって、その付属程度の位置付けなんだと思います。

難しいのは、トランプの共和党政権では対中制裁と中東和平を同時に進めなければならなかったことです。

中東和平においては反イランの旗幟《きし》を鮮明にして、サウジアラビアだとかアラブ首長国連邦（ＵＡＥ）といったいわゆるスンニ派国家と手を結んだ。シーア派のイランを主敵にすえることによって、反イランのイスラエルとスンニ派諸国の手を結ばせた。敵の敵は味方の理屈です。

なぜならオバマ政権が、対イランで宥和《ゆうわ》政策をやっていたため、結果的にサウジ、ＵＡＥとアメリカの関係が悪化するだけでなく、サウジもＵＡＥもイスラエルもおかしな方向に進み始めた。だから、トランプはこれを本来の正常な形に戻そうとした。と同時にアジア地域では対北朝鮮への宥和政策と対中制裁を並行して進めた。しかしこれは本来矛盾する。なぜかというと、極東情勢と中東情勢は連動しているからです。イランの核技術は北朝鮮からもたらされている。「悪の枢軸」国家は深いところでつながっているからです。その北朝鮮の背後には中国やロシアが構えている。

アメリカの対イラン政策は北朝鮮の運命を握る

渡邉　バイデン政権がイラン宥和を掲げるのであれば、対北朝鮮、対中国とも宥和をはからねばならず、ロジックが合わない。これが民主党政権になってからの大きなひずみです。実際、進めるといっていたイランの核合意も滞り、サウジやイスラエルに対する態度もトランプ政権と変わらない。バイデンの対中姿勢への評価は割れますが、当初いわれていたほどの親中姿勢は見せていない、というよりもできないといったほうがいいでしょう。議会のほうが中国に対して強硬ですから。

ご承知のように、オバマ政権ではキューバとの国交を回復しようとしていたのを、トランプ政権に代わって国交回復直前に「待った」がかかった。制裁を続けていたトランプと同様にバイデン政権もキューバへの制裁を強化し始めています。

トランプ政権を否定すると思われていたバイデン政権でしたが、前政権と同じ道筋を選ぶ可能性が高い。イランへの規制を強化すれば、必然的に北朝鮮に対する風当たりも強くなる。

したがって、北朝鮮に対する制裁も厳しくなるでしょう。北朝鮮の石油製品がどこに行っているかといえば、中国、韓国ですからね。日本の哨戒機《しょうかいき》が韓国軍からレーダー照射された事件（二〇一八年十二月）がありましたけど、あれは北朝鮮との「瀬取り」の現場を自衛隊に見られてしまったからだという話があります。「瀬取り」とは、洋上での船舶間での物資の積み替えのことで、国連制裁の対象である北朝鮮が行うことは禁じられています。国連加盟国が関与することも禁じられているのですが、裏では韓国や中国が北朝鮮に協力しているとも見られていました。文在寅《ムン・ジェイン》は北への経済制裁解除を希望していたほどだから、黙認していた可能性は高い。

バイデン政権の韓国、北朝鮮に対するスタンスははっきり見えてこないけれども、トランプ路線と大きく変わらない、というより変えられないでしょう。バイデン政権には国際政治を動かす力がない。

慰安婦合意とＴＨＡＡＤミサイルは米対韓戦略の一環

渡邉　オバマ政権時代にバイデンが窓口となって慰安婦合意が行われました。そのときは口頭でしたが、将来的にはアメリカ側が英文も含めた文書にする予定だった。ところが、いろいろあって文書合意までは至らなかった。合意は残ったけど、文書にできなかった。

なぜ文書で合意をとる必要があるのかというと、日韓基本条約（日本国と大韓民国との間の基本関係に関する条約、一九六五年発効）と日韓請求権協定（財産及び請求権に関する問題の解決並びに経済協力に関する日本国と大韓民国との間の協定、一九六六年発効）が根底にあるからです。「請求等に対しての不満が生じて、当事国同士で話し合いがつかない場合、第三国を入れたうえで改めて合意する」という条項が入っている。

日本側としては当然、条約に従うしかない。アップグレード、上書きするには第三者を入れるしかないんです。第三者を入れないと、また二国間の争いで同じことの繰り返しになる。ヤクザの手打ち式と一緒で、どこかに入れておこうと。

それをバイデンが仲立ちになって安倍さんと朴槿恵《パク・クネ》の間でやったわけです。このときセットになっていたのが、サード（THAAD）ミサイル問題でした。慰安婦合意よりも、対北朝鮮・対中国の防衛構想であるサードのほうが重要かもしれません。

オバマ政権末期になると、アメリカは在韓米軍を撤退するといい始めた。左派の盧武《ノ・ム》鉉《ヒョン》政権は在韓米軍の撤退を工作して、「戦時作戦統制権」を韓国に返還するよう米国に求めていました。ところが、そのあと生まれた保守派の李明博《イ・ミョンバク》政権のときに、「わが国の安全は自国だけでは守れないから、待ってくれ」と言い出して、とりあえず在韓米軍撤退はいったん止まっていました。

もっとも統制権の構造のからくりをいうと、現在は「国連軍（米軍）→米韓合同司令部（米軍→韓国）」ですが、返還後も「国連軍（米軍）→米韓合同司令部（韓国→米軍）」となるだけで、アメリカの指揮下であるのは変わりないのですが。

朴槿恵政権も李明博政権と同じスタンスをとりました。ただ、アメリカはその交換条件としてサードミサイルの設置を朴槿恵政権に約束させました。対北朝鮮・対中国の防衛構想として設置しろと。韓国は当初、この重要な案件に関してどっちつかずの態度だった。中国とアメリカの両方の顔色を見て、天秤《てんびん》にかけたわけですよ。それで米国は中国になびいていた朴槿恵を追いつめた。慰安婦問題は片付けてやるから、サードを受け入れろと。

二〇一五年十二月の慰安婦合意のあと、サード導入が決まりました。これを設置した場所がロッテのゴルフ場だったんです。それでロッテは中国から目の敵にされて、ものすごい制裁を受けました。中国国内のロッテマートに難癖をつけられて営業停止に追い込まれたほどです。

文在寅政権になると、「三不一限」と呼ばれる中国からの命令に唯々諾々《いいだくだく》と従ったものだから、アメリカは怒り心頭でした。

「サードの追加配備は検討しない」「アメリカのミサイル防衛網に参加しない」「日米間の

軍事同盟化をしない」（三不）「サードシステムの使用に関しては、中国の安全保障上の利益を損なわないよう制限をつける」（一限）。在韓米軍を不利な立場に陥れ、中国を利するだけの約束を韓国が勝手に発表してしまったのです。

韓国のように中国の顔色を伺う国は、アメリカにとって敵対国家という認識になってしまう。これはビジネスにおいてもそうなりつつあります。中国と取引のある企業は、アメリカの制裁対象になるリスクが生まれつつあるのです。

在韓米軍はそのまま在台米軍になるか

渡邉　米韓関係には、こうした大きな流れがありました。極左の文在寅政権が終わろうとする現在、ふたたび右寄りの政権になって「またアメリカさんよろしく」と言われても、認められないでしょう。米軍はすでに盧武鉉政権との約束で、ソウルに置いておいた部隊をほとんど撤収してしまっています。江北《カンブク》市に基地を移してソウル市内にも形だけ司令部が残っている。ソウル郊外三〇キロまで移転して、徐々に引き揚げていく形をとっています。

それよりも台湾をめぐる情勢のほうが厳しくなってきた。いざとなったら、在韓米軍はそのまま在台米軍になるんじゃないかという話もでています。

直近の動きをみると、韓国は米韓軍事合同演習の規模を縮小したり、中国がいやがるイギリスの航空母艦クイーン・エリザベス（六万五〇〇〇トン）は空母なので巡洋艦や駆逐艦を護衛とした空母打撃群を編成して動くのですが、それにオランダのフリゲート艦「エフェルトセン」が入っている意味を韓国は理解していない。

オランダというのはアムステルダムを中心とした海上輸送の国です。七つの海を支配していたのはイギリスの前はオランダであり、台湾も統治していた。つまりクイーン・エリザベス空母打撃群というのは香港と台湾の両睨《にら》みを想定した布陣をとっている。

ドイツ、フランスは海外領土の七割くらいをタヒチに持っている。その両国は南シナ海の下、日本、アメリカ、イギリスが上。ですからここを中国にとられるのはよろしくない。

そうした中国を取り巻く包囲網のなかで、韓国軍の位置付けがどうなっているかというと、一方的な軍事情報包括保護協定（ＧＳＯＭＩＡ）破棄にみられるように日本と組まないのであれば、限りなく低くなっていく。

その一方で、韓国が中国と軍事的にもつながりを深めてゆくというのであれば、アメリカ製の兵器を置いておくことすらリスクになる。ここまでくるといよいよ米軍撤退が視野に入る。あるいは米軍を撤退させたあと中国と組まれるくらいであれば、動乱状態においたほうがいい、ということになりかねない。

陸戦をやめたアメリカの対中国戦略はどうなる

渡邉　これはトランプ政権以前からのことですが、アメリカ軍は基本的に陸戦をやる気はない。中東やアフガンからの撤退も同様の理由です。朝鮮半島でもベトナムでもそうですが結局、泥沼化して膨大なコストがかかるだけでした。

髙山　アメリカという国ほど歴史から学ばない国も珍しい。

渡邉　アメリカ軍はグアムに一時的に引き揚げ、中長距離ミサイルによる攻撃という方針に変わった。前線基地は戻すかもしれないけれどあくまで攻撃は海上から行う。オバマ政権のときにふたたび「アジア・ピボット」といってアジア寄りに戦略を転換しました。中国の軍事力拡大に対抗するためです。

でも、アジア・ピボットの方針はあっても、在韓米軍に対して増員はかけていないんですよ。今後、アメリカは海軍を増強するとしても、沖縄や台湾、いったん撤退したフィリピンのスービック湾などに基地をつくり、沿岸部から中国を封じ込めていく戦略になるでしょう。大陸にしても半島にしても内陸部に増派する意向はないと思っています。

ですから、基本海兵隊、海軍、空軍でまわしていく方針です。ただ台湾有事を想定して、二〇二〇年の合同訓練では、陸軍の上陸作戦も行った。なので、韓国軍はまったく関係ない。

中央アジア、中東が泥沼化しているなか、わざわざ新規の紛争地帯に入らないはずです。いざ中国と戦争となった場合、戦略的には勝てるかもしれない。けれど、圧倒的な物量で勝てないから陸戦は絶対にやらない。もし朝鮮半島が戦場となれば、半島の外から攻撃はする。それだったら日本と組めばできてしまうことです。

髙山　アメリカは朝鮮戦争、ベトナム戦争、イラク戦争、そしてアフガン撤退で混乱しているように海外でさんざんな目にあってきたからね。バイデン政権は国防費約八パーセント削減を決めた。当然そのしわ寄せは米国から遠く離れた日本や韓国にくる。自分たちのことは自分で守れ、それからもっと金は出せ、と。しかし文在寅にその危機感はみられない。本当にいまの状況を理解しているのか。

渡邉　さすがにわかっていると思いますよ、トランプ時代、在韓米軍撤退を含めた駐留費の交渉がありましたから。駐留費を全額出すんだったら、半島のセコム（用心棒）になるとあからさまな態度を示した。これでわからなければヤバい。

だいたい韓国の態度はちぐはぐなんです。反米的態度をとりながら、いなくなったら困る。自分たちの都合に合わせて、勝手なことしかいわない。アメリカもウンザリでしょう。

もし韓国側が発表することがいつも真実なら、韓国だけでディズニーランドが三十個ぐらいできてます。「ディズニーランドができる」と韓国が発表すると、翌日ディズニーが否定する（笑）。あの人口規模だとつくっても採算が合わない。

人口が三億人くらいあるインドネシアがいうならまだしも。インドネシアはエネルギーも自給自足できますし。

髙山　インドネシアは親日的でね。植民地として長く苛酷《かこく》な支配をしていたオランダを追っ払ったのが日本軍だったし、独立の勇気と力を与えたのも日本だった。だから、インドネシアの独立記念碑は「17805」とあるんだけど、それは西暦ではなく皇紀の日付なんだ。「皇紀2605年の8月17日」を示しているんです。

第一列島線、第二列島線とも関係がない韓国

渡邉　インドネシアは大国とはいえないまでも、安全保障上シーパワー（海洋勢力）の一部です。海の防衛ラインですね。台湾もフィリピンも日本もそうだけど、海洋国家群としてシーパワーの一部を成している。

一方で韓国は、ランドパワー（大陸勢力）の一部なので、海上防衛からみたときの位置付けがまったく違う。いざとなったら捨てて逃げる前線基地なのかもしれません。大陸は捨てて逃げることはないけど、半島はそれができる。

中国の軍事戦略に、「第一列島線」「第二列島線」というのがあります。日本から台湾、フィリピンにいたるラインが「第一列島線」で、この内側を中国近海と位置付けている。この外側のライン、小笠原諸島からグアム、サイパンにいたるまでを「第二列島線」と呼んで、近海と外洋における対米防衛線としています。

世界地図を逆さまして、このラインを眺めるとより明確にわかりやすいのですが、韓国

逆さ地図でわかる中国の目線

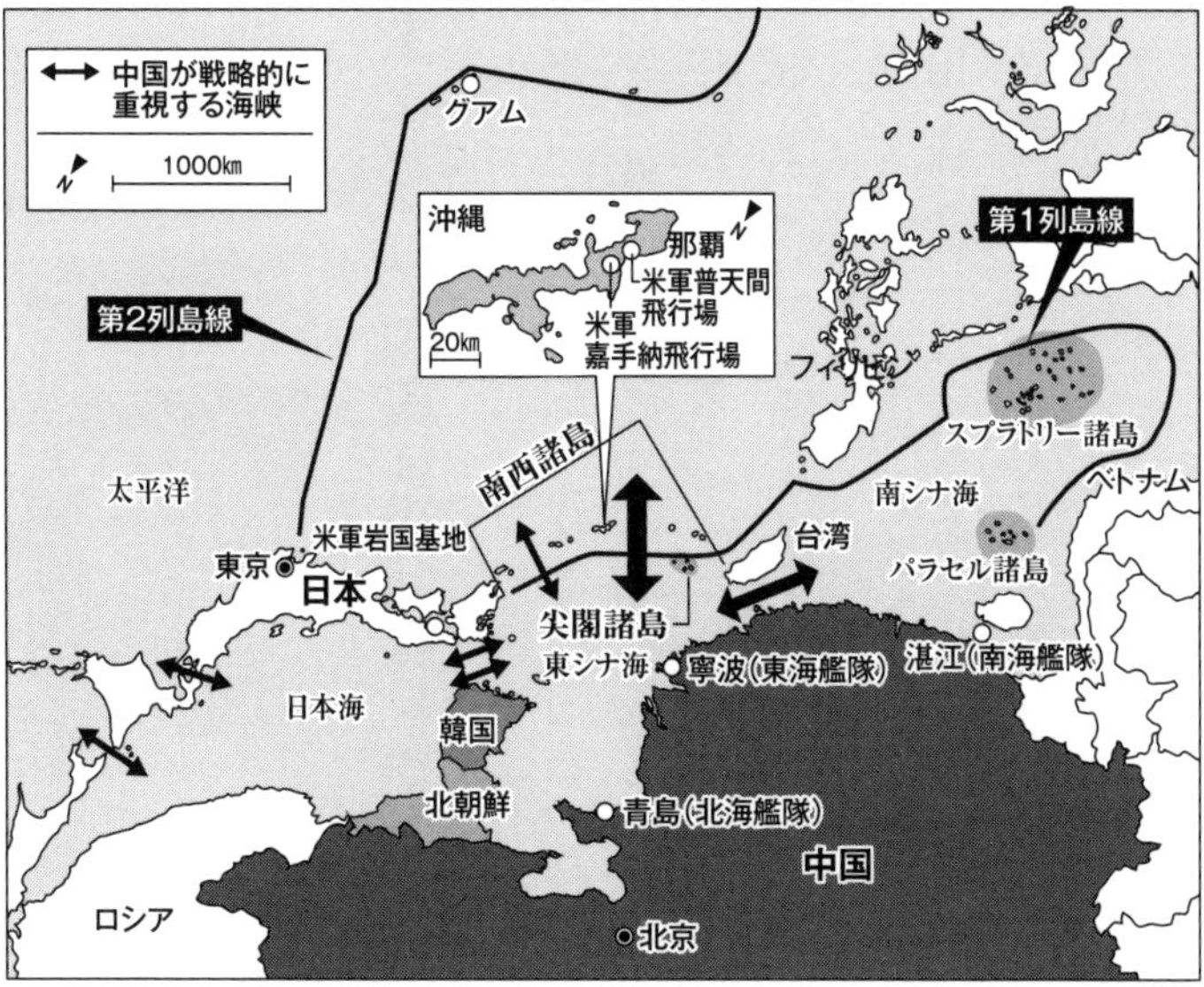

出典：2019年1月1日「産経新聞」

は第一列島線も第二列島線も関係がない。

米軍は九州沖から南シナ海にいたる「第一列島線」には、日米一体のミサイル攻撃網を想定しているし、「第二列島線」には長距離ミサイルを想定している。日米双方に重要なラインなのです。

こうなると、韓国の地政学的な意味合いが一段と薄れてしまうんです。これまでは、三八度線が「防共の壁」として機能してきた。けれど、時に中国にすり寄る態度を見せる韓国は、敵に寝返る可能性さえある。仲間に入れておくと、いざというとき、信頼のおけない危ない国だとアメリカが考えるのも無理はありません。

髙山　板門店《パンムンジョム》の非武装中立地帯でトランプと金正恩《キム・ジョンウン》が肩を叩《たた》きあったのも、在韓米軍はもう必要なしという意思表示だったのでしょう。

日本にとって韓国は現状維持がベスト

渡邉　ですから米国からすると、米韓の同盟関係は一応維持しておくけれども、「ない」という前提で考えたほうが安全だという理屈になってしまう。韓国に注力するくらいなら、台湾の防衛や、フィリピンの防衛に力を入れたほうが、メリットがある。

日本にとってみれば韓国には余計なことは何もしないで、そのままいるだけが望ましい。

韓国という存在は安全保障上に限れば「味方」といっていいかもしれません。韓国が存在することによって、日本海の安全のために、自衛隊を出さなくて済んでいる。日本海全域が軍事的衝突点にならないのは、朝鮮半島があるお陰ですから。

もし韓国が敵にまわって北朝鮮と同じ「敵国」になると（もっとも韓国のほうは日本を

「敵国」としてますが）、日本海全域が軍事的な衝突ラインになるわけです。韓国が建前上だけであっても、味方であれば軍事的衝突点が三八度線まで上がってくれる。

在韓米軍の存在も大きい。在韓米軍は北朝鮮を牽制《けんせい》するだけじゃなくて、韓国が北に寝返らないようにしておく重石の側面があるんですね。韓国軍が裏切らない＝防衛ラインが崩れない＝日本のメリット。

アメリカとしては、質はどうあれ、防衛ラインを壊されることのほうが恐いですから。韓国がなくなると、アメリカは対ロシア戦略までつくり直さなければいけなくなる。日本海の防衛ラインが対馬まで下りてくるのは困る。そう考えると韓国は、現状のまま維持しておく。それが日本にとって大きなメリットですね。

ついに『防衛白書』も韓国を切り捨てた

渡邉　日本における韓国の存在価値が薄まっている証拠として、すごくわかりやすい例があるんです。令和二年版『防衛白書』では「わが国周辺の安全保障環境」の項目に「韓国」という国名が出てこない（令和三年版も同様）。「竹島の領土問題」というのはあるけど、「朝鮮半島問題をめぐる問題」の一言で片付けられています。北朝鮮、韓国を個別にせず朝鮮半島全体で括る表記にされている。

対照的に注目すべきは、今回初めて、「台湾をめぐる問題」として台湾が記載されたことです。「中国による活発な太平洋への進出」として、中国を大きく取り上げている。

髙山　言葉遣いもだいぶ変わったようだね。『防衛白書』も切り捨てたとなれば、韓国を取り上げるのはいよいよ朝日新聞だけになった。

中国・韓国が好きで好きでたまらない自民党幹事長の二階俊博は「韓国は大事な隣国だ」といってみたり、中国に対して甘い言辞を繰り返していますが、国民の心に何も響かない。あとで詳しく議論したいけど、あの国は自分で危機を生みださないかぎり、隣国から必要とされない哀れな存在なんだ。

戦後のアメリカは中国と韓国を反日にさせて日本を封じ込めてきた。アメリカが利用できる存在として韓国も必要だった。韓国の反日教育も、アメリカにとってメリットがあるから黙認してきたともいえます。韓国もアメリカの意向を受けて騒いできた。そういう意味で米韓両国は反日という意味で共犯関係にある。

中国の反日運動は韓国を手本にしている。中国が反日教育を始めるのは、江沢民《こうたくみん》の時代になってからで、じつは遅い。中国が先だと思う人もいるけど逆なんだ。反日を叫べば日本がカネを出してくれる形を韓国が示してきた。中国はオレのところでも「漢江《ハンガン》の奇跡」をやってくれと思い立った。中国のほうがひどいかもしれないけれど、韓国もいい勝負だ。

韓国の反米という病

渡邉 いままで反日をメインとしてきた韓国左派が、その矛先をアメリカに向けだしました。二〇一五年十二月の慰安婦合意によって、慰安婦問題が国際問題にならなくなってしまった。その代わりに韓国が考えたのが徴用工問題ですが、文在寅政権は、親北朝鮮であると同時に反米政権なんですよ。

本来、西側陣営の一員として、韓国は親米でなければおかしい。北朝鮮や中国の影響が韓国内で浸透しているせいか、在韓米軍の基地がある要衝の釜山《プサン》までが、事実上反米勢力に乗っ取られている状態です。

釜山では、日本大使館に対するいやがらせと同様に、米軍に対するいやがらせ行為も起きている。朝鮮戦争における仁川《インチョン》上陸作戦を批判する運動も同じ流れです。次章でも触れますが、仁川上陸作戦がなければ、いまの韓国はなかった。韓国にとっては感謝すべき作戦でこそあれ批判するいわれはない。そんな恩知らずな国からは撤退したいというのが米軍の本音でしょう。

北の主導で南北統一か

髙山　防衛省OB関係にいわせると、在韓米軍が撤退したら、北はいつでも侵攻できるらしい。最近、金正恩の顔の色つやがいい（笑）。

渡邉　確かにソウルを潰《つぶ》すだけなら、南に通じる北漢江の上流のダムに水を貯めておいて、一気に決壊させるだけで済んじゃう。考えられるシナリオは北朝鮮の人民軍に三八度線を破らせゲリラ戦を起こす。さて韓国軍ははたしてこれを凌《しの》げるのか。逆にいえば、それよりも、三八度線の地雷原を外し、北の一般人を韓国に流入させたらどうなるか。国境は三〇キロしか離れていないから歩いても行ける。韓国軍は北朝鮮の人々を撃つことができるのか、という話です。

南北朝鮮＋在韓米軍兵力比較

		北朝鮮	韓国	在韓米軍
	総兵力	約128万人	約60万人	約3万人
陸軍	陸上兵力	約110万人	約46万人	約2万人
	戦車	T-62、T-54/55など 約3,500両	M-48、K-1、T-80など 約2,220両	M-1A25EPv2
海軍	艦艇	約800隻　11万トン	約230隻　26万トン	支援部隊のみ
	駆逐艦 フリゲート 潜水艦	 6隻 25隻	12隻 11隻 17隻	
	海兵隊		約2.9万人	
空軍	作戦機	約550機	約640機	約80機
	第3/4/5世代戦闘機	MiG-23×56機 MiG-29×18機	F-4×30機 F-16×162機 F-15×59機 F-35×34機	F-16×60機
参考	人口	2,564万人	5,184万人	
	兵役	男性　10年 女性　7年	陸軍　18カ月 海軍　20カ月 空軍　21カ月	

注１：資料は「ミリタリーバランス（2021）」などによる。
注２：韓国は2018年から2021年にかけて兵役期間を段階的に短縮中。
出所：令和三年度版「防衛白書」

高山　たとえ朝鮮人民軍がソウルを占領しても、米国はいまさら韓国のために血を流すつもりはないだろう。だから韓国から米軍基地がなくなった瞬間に、北朝鮮が侵略するという見解の人が多い。

渡邉　韓国主導の自主的な国家統合よりも、北主導の可能性のほうが高いかもしれません。ただ北が南を侵略するとしても、軍事オペレーションを継続するだけの体力はないと思います。米軍が撤退して韓国軍だけになったとしても通常戦力は韓国軍のほうがずっと上でしょう。核戦略に特化した北朝鮮にそれほどの軍事力があるのか疑問ですね。

髙山　ただ韓国軍の規律はそうとう緩んでいるでしょう。潜水艦に乗った兵士が、スマホで毎日家族と交信しているそうだ。そういうトラブルが頻繁に起きていて軍事力の質的低下が著しいと聞きます。

渡邉　それをいうと、自衛隊が韓国軍に絶対敵わないところがあります。非常に安全な重機関銃で、二〇発撃つとジャミングして暴発しちゃう、絶対に敵に当たらないっていう安全な銃です（笑）。それから三〇センチの段差を越えられない戦車もあります。わが国には逆立ちしたってつくれないものしかないんです。

冗談はともかく、質の低下ということは前々からいわれていました。さかのぼると朝鮮戦争のときだって、韓国軍は逃げちゃったんですからね。前線で戦っていたのは米軍ですよ。その点では変わってないと思いますけれど。

髙山　だから、北の将軍がわっと攻めてきた瞬間にすぐ南は手を上げるかもしれない。

渡邉　結果までは予測できないけれど、どちらにせよ、長期戦は不可能でしょうね。なぜ在韓米軍が必要かという議論は、ますます深刻化するでしょう。

また、アフガン問題を目の当たりにして、韓国のメディアは真っ青になっています。アメリカが出て行ったら、北朝鮮が攻めてきて韓国もアフガンのように大混乱になるのではないか、と。少しは目が覚めた。

おそらく動乱になるんでしょうけど、それはそれで日本にとってまずいです。大量の難民がやってくる可能性があるから、だから現状維持がいい。

双方にいい顔をしてすり寄る韓国が悲劇を招く

高山　韓国の保守派の大統領が親中をやってみたり、反米政権が誕生したりと、いろいろなポーズをとるのには理由があって、要するにただひたすら外国からの関心をひきたいだけ。

あの国が歴史上、何度も繰り返してきたのは、外国勢力を利用して国内の権力闘争を制しようとしたことです。だから李朝最後の国王の高宗《コジョン》がロシア公使館に逃げこんで政務をとろうとしたし、李完用《イ・ワンヨン》は日本に近づいた。そういう挑発的な態度をとった結果、巻き込まれた大国同士の戦争になってしまう。勝敗は大国が決める。日露戦争では日本が勝ったから、李完用派の併合路線が動き出した。

後世は彼を「親日派、売国奴」と断罪するけれど、李完用が本当に何を考えていたのか、李完用はどうして日本側についたのか、韓国人はそれをまったく勉強しようとしない。非常に近視眼的で伊藤博文を暗殺してみたり刹那《せつな》的な行動に走る。

日本やアメリカが何を考えているかという大局観がない。大国を巻き込んで、すり寄って生き残ることの繰り返しが彼らなりの戦略なんだろうけれど、その結果、どうなったのかを彼らは考えない。韓国は地政学的に要衝に見える。特に脇腹に匕首《あいくち》のように迫る朝鮮半島は日本には厄介のタネに見えた。それを彼らは利用してきた。

ロシアも中国も韓国を欲しがらない

渡邉　ロシアのプーチンだって、いまさら朝鮮半島を欲しがるとも思いませんしね。

髙山　関心があるとしたら、むしろ北朝鮮のほうでしょうね。

渡邉　北朝鮮の羅津港《ラジンこう》でしょう。羅津港は三つの埠頭《ふとう》があって、そのひとつはロシアが使用権を借りてますからね。シベリア鉄道の終着点としての興味はあっても、それ以上の進出は望んでるようには見えない。

髙山　むしろロシアは中国との国境を押さえようとしている。

渡邉　ロシアにとっては、対中国戦略としても韓国の利用価値は少ない。では一方の中国が朝鮮半島を欲しがるかというと、絶対にそれはない。日本もそうでしょう。

髙山　日本には昔から脅威ではあっても欲しい領土ではなかった。

渡邉　韓国から中国が欲しいものがあるとすれば、サムスンなどが持つ半導体生産などの技術だけでしょう。だからといって韓国の従業員まではいらない。中国は人口をたくさん抱えているわけで、深刻な少子化とはいえ、目下労働者が足りないわけではないですから。

中国に買収された韓国企業の例をみればわかるとおり、日本企業と一緒で技術だけ抜き取って捨てられていく。たとえば、双龍自動車という自動車会社がありましたが、これは最初インドのマヒンドラ&マヒンドラに買収されて、そのあと、そのまま中国に売り払われた。技術だけ抜き取られておしまい。

中国にいたっては、地政学的な意味においても韓国を欲しがるメリットがそもそもない。

髙山 前述のように、日本から見れば、朝鮮半島は日本の脇腹につきつけた短刀みたいな格好をしている。そこが動揺するたびにトラブルに巻き込まれてきた。日清・日露戦争も朝鮮半島の不安定要因が占める割合が大きかった。だから多くの場合、周辺大国は半島に関与してこなかった。

朝鮮戦争の場合、南北が勝手に内戦を始めて、それに米、ソ、中が割り込んできたけれど、戦後、ソ連と中国はさっさと引き揚げた。そのあとに米軍だけはしょうがなしに基地を残した。ロシアは北朝鮮の金日成《キム・イルソン》を担ぎこんだときには関与したけれど、気がついたら撤退していた。

支那は朝鮮半島以外の地域では、自国の勢力が及んだとき、必ず植民地政府をつくるんです。フランスが仏印政府つくったように、支那はベトナムに安南都護府《あんなんとごふ》をつくった。都護府というのは、唐《とう》代にあった辺境統治機関ですが、朝鮮半島に都護府みたいなのを置いたのは二度あるかないか。すぐ消滅しちゃう。あの中国でさえ支配したがらない。

習近平にとって邪魔な韓国国民

渡邉　韓国はめちゃくちゃな法律をつくっちゃう（第3章参照）。たとえば、従業員がストライキをやった場合にスト期間中にも企業が給料を出さないといけないというような法律をつくる。そうすると、当たり前ですが誰も働かなくなる。韓国GMとか自動車会社がその典型ですが、結果的に多くの外資は撤退してしまいます。

米投資ファンドのローンスターなんて韓国の銀行を買ったんだけれど、結局赤字で、衰退した。最終的には投資資本も回収できなかった。ローンスターに不当な家宅捜索が入ったことも、政治的なリスクの大きな国という印象を世界に与えることになりました。

仮に中国が韓国を支配したとしましょう。異民族であるだけでなく、まがりなりにも国家である韓国ではウイグル・チベット以上の問題が起きるでしょう。香港を見てのとおり、習近平にとって民主主義勢力は敵です。韓国人は民主主義を植え付けられて、中途半端に開かれてしまっているから、余計に面倒なことになる。

労働組合が強かったら、中国共産党が進めるような力による政治なんて、絶対にできない。手に入れたら、やっかいなのは目に見えているんですね。中国では基本的にストなんてないじゃないですか。年中ストをやる会社などいらない。そう常識的に考えると、手に入れてどうするのかと。民族も違うし、言語も違うわけです。

外に置いて、自分の子分として汚れ仕事をさせるには、いいかもしれない。東側陣営のなかに組み込まれているうちは、東側に影響力を与える自由経済のショーケースとして利用する価値はあったかもしれない。けれど、中国の手中に完全に入ったとたんに、韓国の価値は暴落するわけです。

朝鮮半島の厄介さをよく理解していた大日本帝国

髙山　朝鮮半島がいかにやっかいなのかを、じつは日本人はよく理解していた。だから日清戦争に勝ってもすぐには朝鮮を支配しようとはしなかった。本当なら半島の支配権を持っていた清を追っ払ったんだから、日本が取ってもいいはずなのに。それは拒んで日清戦争の講和条約でいの一番に謳《うた》ったのが、「朝鮮の独立」ですよ。
裏を返せば、植民地にして領有する気はない。支那から離れてまともな自立した国になってくれという意味です。けっして欲しい領土ではないということでしょう。日本を含め、周りの国々の思いは、スイスと同じように永世中立国にしてしまえ。誰も関わりたくないから、おまえらだけで幸せに生きてくれと。

日本が統治するまでは、半島は支那の属国状態だったけど、漢民族ではない異民族の満洲族が建てた清になると、朝鮮が自分たちこそ「中華」であると清に抵抗して、こてんぱんにやっつけられる。その清王朝ですら朝鮮を植民地にしようとしなかった。この事実は重い。

歴史のなかで、ずっと「捨て子」扱いだった。

日清戦争前夜には支那が朝鮮半島から日本をおびやかすような状況だった。軍艦の定《てい》遠《えん》、鎮遠《ちんえん》がペリーを真似て横須賀まで入ってきて、平然と脅しをかけてくる。そして長崎では清の水兵が傍若無人の殺傷騒ぎを起こす（長崎事件、一八八六年）。支那が領有する朝鮮半島は明らかに日本の脅威だった。だからその脅威を取り除くべく日清戦争が起きた。

翻って朝鮮も北に資源があって、南に畑があるんだったら、さっさとひとつの国になればいい。もう東西冷戦なんてない。誰も南と北を傀儡《かいらい》にしてないんだから。東西ドイツが一緒になったように、意志と実力さえあればいつでも一緒になれるはずなんです。やってくださいといってもやらない。

同じ言葉をしゃべって、同じ顔つきなのに、オリンピックもサッカーのワールドカップも別々の二チームを出場させている。国連に二議席も持つ。そんな資格はないんだけど、面倒くさいから、みんな口に出していわないだけでね。

渡邉　いっそ、八つぐらいに分けちゃえばいい。東南西北白發中。

高山　北が危険な核ミサイルに手を出し始めたころ韓国の外相潘基文《パン・ギムン》（後の国連事務総長）は、われわれ韓国が軟着陸させるから日本は協力しろといってきた。不埒《ふらち》な片割れがいてスイマセン自分が何とかしますとやるところを、さも恩着せがましく、世界にアピールする。その繰り返しだ。

渡邉　国家として考えた場合、韓国のどこに価値があるかを聞かれたら、答えるのが本当に難しい。

トランプが北朝鮮に歩み寄った意図とは

渡邉　中国にとっても面倒で、まともに扱う意図はない。かといって北主導というのも、日本にとっても不都合なんです。北側がこちら側と同盟関係を結ばないかぎり。「韓国と手を結ぶくらいだったら、北朝鮮と結んだほうがまだましだ」と、昔から軍事関係者はいいます。北を手に入れることによって、対ロシアの防衛が整備できるからです。

トランプ大統領が、なぜ北朝鮮との宥和を進めようとしたか。トランプが提案したのは、北朝鮮を開国してカジノ、ＩＲも含めたリゾートを入れて、経済的に自立をさせるモデルでした。同時にアメリカと安全保障条約を結んで同盟国になれば、在韓米軍を北に移動するだけで済む。軍事防衛ラインを三八度線からロシアの国境付近まで上げられるわけですね。必然的に韓国の存在は不要になる。

金正恩体制を壊す意図はないでしょう。なぜなら、金正恩との話をつければ、ある程度、物事を進めることができるからです。その点では、韓国よりも北朝鮮のほうが国家体制がしっかりしている。戦前の天皇制をモデルにしたのが北朝鮮ですから。国民に金主席を崇拝させている体制なので、国家としてのひとつのポリシーみたいなものがある。金正恩の統治を認めてしまえば、話はできる。

金正恩を王族的な立場にする立憲君主制にして、その下に民主的な機関をつくればいい。それはそれで、アメリカとしては民主主義を植え付けた成果となる。その線でいいのではないかという案は確かにありました。結局、金正恩が呑まなかった。

その一因は間違いなく韓国にあった。韓国は北には北に都合のいいことをいって、アメリカには都合のいいことをいってきて、結局、米朝関係を壊してしまったんですよ。どちらにも正しい情報を伝えなかった。以降、韓国を抜いたかたちで、アメリカは北との交渉をやろうという状態になった。

日本にとっても、北朝鮮が同盟関係になるのであれば、プラスでしょう。すると韓国は完全に陸の孤島になります。

北朝鮮も韓国はいらない!?

渡邉　冷戦が終結したとはいえ、やっぱりロシアの脅威というのもバカにならないのは事実です。ここ数年、ロシアに対する自衛隊のスクランブル（緊急発進）はすごく増えている。

南シナ海、沖ノ鳥島などの離島を中心に、南側の防衛ラインばかりが注目されますが、ロシアは何をするかわからない。ロシアは信用できないことが信用できますから。

北朝鮮を国家として独立させたまま、北をアメリカの安全保障の枠組みのなかに入れてしまえば、ロシアに対する安全保障の面でもアジア全体にもメリットがあります。そのうえで北と韓国が一緒になりたいというのなら、一緒になればいい。

ただ金正恩にとって、一番の敵は韓国国民なんですね。だって、考えてみてくださいよ、韓国国民が一斉ストをやったらどうなりますか。現在の北の住民なら、じっと黙って耐えますが、北の将軍様が韓国を合併した場合、盧武鉉や李明博に向かったのと同じ民衆の怒りが将軍様に向かうわけです。

実際、盧武鉉をはじめとする韓国の歴代大統領は、新政権の誕生とともに死刑や無期懲役、自殺などに追い込まれている。

仮に南北統一した場合、貧しい北朝鮮国民を引き取ったら国家全体は貧しくなります。その分、南の国民負担は大きくなっていく。ただでさえ高まっている不満はどこに向かうかいうまでもないことです。そうやって考えると、韓国はいらないが正解なんですよ。

中国はいま独裁のメリットとデメリットのジレンマで苦しんでいるわけだけど、やっぱり、「自由は蜜の味」なんです。習近平政権なんて、二〇一五年には「立憲・民主・新自由主義」などの価値観を中国の大学から排除するように命じているほどです。

髙山　同感です。本人たちも苦悩しているというところじゃないの。自分の存在意義を出すためにあえて問題をつくりださなくてはならない。朝日新聞なんかと同じ手口だ。

第2章

押し付けられた朝鮮半島

世界史上存在感がなかった朝鮮半島

髙山　『隠者の国・朝鮮』（Corea the Hermit Nation　一八八二年）という、アメリカ人牧師ウィリアム・グリフィスの本があって、「遅れた朝鮮は日本、中国、ロシアのいずれかの餌食《えじき》になる」と書かれている。それくらいの後進国だった。

ウィリアム・シーボルトという、マッカーサーの右腕だったＧＨＱ外交局長がいて、戦前の朝鮮を何度か訪ねているけれど、彼の『日本占領外交の記録』のなかで朝鮮について書いたのが、たった二行。「抑圧、不幸、貧困、沈黙、陰鬱《いんうつ》の悲しい国」と。要するに書くことがない。それくらい世界史のなかで存在感がなかった。

アメリカでもメキシコでもいいけれど、新大陸を発見したら、ワーッと人が行って、先住民を押しのけてまで国をつくるのがふつうです。イタリア半島も取り合いになった。けれど、あの朝鮮半島にかぎってはどうか。海をいったん外して考えると、地政学的にはヨーロッパのスイス、東のアフガンみたいなものだ。戦略的要衝のハズなのにただ誰も欲しがらない。

渡邉　西洋の位置付けでいうとイタリアと同じで、朝鮮半島は「東洋の盲腸」。あってもなくてもいい。

髙山　でも、イタリアは文化の中心だから違う。

渡邉　イタリアもふたつに分かれているという点では似ている。ひとつの国ではあるけれど、上と下で文化的にまったく違う。この構造は朝鮮半島と一緒なんですよ。

髙山　ああ、似ているところは確かにあるね。南はダメという。

渡邉　大英帝国の植民地経営的な考え方をすると、そうした要衝地は「分割統治」で無力化するというのが正しい方針となります。民族同士を内戦させて、国がまとまらないように、イギリスに力を及ぼさせないようにする。そこを代理戦争の場所にして、宗主国に影響が及ばない形にするわけです。

髙山　それは最後の使い方ですね。

要するに、これだけいい場所を占めながら、地質もよくない、天候もよくない、何もよくない。東洋史家の故・岡田英弘氏や宮脇淳子さんに言わせると、朝鮮半島は有史時代に入ってからも、無人、無政府の時代があったという。パラパラとしか人がいなかった。李氏朝鮮になっても国の体裁はなかった。城下町も街道も街並もない。実際に明治時代になったときだって商店もまともな貨幣経済もなかった。

渡邉　物々交換に近かった。

朝鮮の国名の由来は貢ぎ物が少ないから

髙山　李氏朝鮮の王朝は長く続きながらも、貨幣経済すら発展しなかった。こんな古代のままの国は、逆に稀有《けう》な存在です。

渡邉　昔もいまも「貢ぎ物、少なし」の国ですからね。

髙山　それは亡くなった渡部昇一《わたなべしょういち》（上智大学名誉教授）さんがいった。

「朝貢」の「朝」に「巧言令色鮮し仁《こうげんれいしょくすくなしじん》」（論語）の「鮮」で、「朝（貢物）鮮（すくなし）」だと。要するに貧しい国（笑）。もっとも韓国では「静かなる朝の日」の義だと主張している。

渡邊　でも李朝創始者の李成桂《イ・ソンゲ》が自ら候補に選んだ国名なわけなので（笑）。

髙山　一三〇〇年代末期の明《みん》の時代、李成桂が支那に行って、「国の名前が欲しい」と「朝鮮」ともうひとつ「和寧」を出して「どちらか選んでください」といったので明王は実体に即して「みつぎものすくなし」のほうにした。

朝鮮を嘆く朝鮮人儒学者

髙山　李氏朝鮮の儒学者に林白湖（林悌：一五四九〜一五八七）というのが、嘆きの辞世を書いている。

黄文雄《こうぶんゆう》さんが紹介している話だけど、万里の長城の外側の四夷八蛮が中国（中原《ちゅうげん》）に入って王朝をつくってきた。「西南のチベット系吐蕃《とばん》でさえ中華世界を一度は征服し、都を占領して脅威を与えた。しかしわが朝鮮だけは中華の脅威になったことすらない。朝鮮は大中華に君臣の礼、君父に忠のみである」と。華夷《かい》秩序でいうと、夷狄《いてき》ではなく「小中華」だと言い張る朝鮮は一度も中原にはいっていない。こんなにダメな朝鮮なんて生きている価値もないといって、悶《もだ》え死にするわけだ。

林白湖が死んだ数年後に、今度は日本が二度目の朝鮮征伐（一五九七年）で、明の兵隊を片っぱしからやっつけて、あっという間に朝鮮半島を攻略するんだけれど、豊臣秀吉がもう少し長生きしていれば、おそらく簡単に明を倒してしまったかもしれない。

林白湖ももう少し長生きしてたら、「華夷秩序の低い日本まで入って来たじゃないか」と、きっと狂い死にしただろう。

朝鮮と関わるとろくなことがない

高山　歴史を見れば明らかなように、朝鮮に関わった国々はみな不幸な目に遭っている。

日本も同じ。七世紀の白村江《はくすきのえ》の戦いもそう。朝鮮半島に百済《くだら》と新羅《しらぎ》の争いが起きた。百済が日本に助けを求めてきたから援軍にいくと、待っていたのは新羅じゃなくて、大国

日本と朝鮮の関連年表

663年	白村江の戦い
676年	新羅が三国統一
936年	太祖が高句麗を滅ぼし、朝鮮半島を統一
1259年	高麗がモンゴル(後の元)に降伏、服従する
1392年	李成桂が国王に即位し李氏朝鮮を建国
1418年	世宗が国王に即位(ハングルを制定)
1443年	朝鮮通信使、対馬の宗氏と交易
1592年	豊臣秀吉による朝鮮出兵が開始(壬辰の乱)
1597年	秀吉が再び朝鮮に出兵(丁酉の乱)
1607年	朝鮮使節が来日
1637年	李王朝が清に服従し、清への朝貢が開始
1811年	最期の朝鮮通信使が、対馬に到着
1875年	江華島事件
1894年	日清戦争勃発(1895年まで)
1897年	国名を大韓帝国と改める
1904年	日露戦争勃発
1910年	日韓併合
1945年	大東亜戦争敗戦
1948年	大韓民国、朝鮮民主主義人民共和国が成立
1950年	朝鮮戦争勃発(1953年まで)

の唐の大軍だった。新羅を征伐に行ったのに、いつのまにか日本と唐の戦いになって、大敗して戻ってきた。それで防塁として水城《みずき》をいまの福岡県につくった。

日清戦争（一八九四〜一八九五年）もそうだった。朝鮮半島は、ロシア・支那が後ろに構えて微妙な地理にあるから、日本は常に警戒していた。アメリカでいえば、キューバに他国の勢力が及ばないように神経を尖《とが》らせるのと同じ。日本にとって安全保障上の問題がある李氏朝鮮に他国からの影響を排させ、自主独立を促した。

すると朝鮮王朝は清国側につくのと日本側につくのとで分裂し、それぞれの派が両国を呼びこみ、日本はいずれ対決しなくてはならないことだと覚悟して、日清戦争を始めた。いまでは日本が圧倒的に勝利した歴史を知ってますが、当時の清は大国で八〇〇〇トン級の戦艦、定遠、鎮遠を持っていた。日本はせいぜい四〇〇〇トン級の海防艦で軍事力は大きな差があった。

それでも日本は日清戦争に勝って、下関条約を結びましたが、その第一条は「朝鮮の独立を認める」。世界のどこに他国の独立を承認させるために戦争をする国がありますか。

それから十年。大院君《デ・ウォングン》がロシア側ついた。対馬の真ん前の馬山浦《マサンポ》にロシア海軍基地を提供し、気づけば日本は国運をかけ、圧倒的強国のロシアと日露戦争を戦わなければならなくなった。

日清・日露の戦争で日本は延べ一三万の戦死者を出したのに、当の朝鮮人たちは傍観しただけだった。

小国の生き残り戦略として一概に否定できないけれど、常に大国の影響下で二派に分かれて、大国同士をぶつけるという一番小狡《こずる》いやり方なんだ。それはもう朝鮮が白村江の戦い以来、身につけた生き様《ざま》といっていいくらいのものなんだろうね。そしてその度に日本人が彼らのために血を流す結果になってきた。

日本の漁民を人質にして交渉カードにした李承晩

髙山　朝鮮戦争にしてもそうでしょう。この戦争も南北で戦が始まって、気がついてみると米国と中国の戦いになっていた。本来は「朝鮮人同士で決着つける」のが筋ではないか。
あのときは李承晩《イ・スンマン》が、一番悪辣《あくらつ》だった。戦争のほうはさっさと米国に丸投げして、李は対日戦略、つまり日本に対しても、勝手に李承晩ラインを引いて（一九五二年一月十八日）、日本の領土、竹島を取り、漁船をどんどん拿捕《だほ》した。それでこの人質を返してほしかったら金をよこせ、と吉田茂に要求して、これをカードに日韓交渉を始めた。日本側の被害は、拿捕漁船三二八隻、抑留船員三九二九人、死傷者が四四人も出た。

渡邉　おっしゃるとおり、日韓基本条約に至る日韓会談では、双方が折衝するうえで、日本側に非常に不利な条件が多数含まれていたんですね。日本側は人質をとられたままで交渉を進めざるを得なかった。竹島をめぐる漁業権の問題、戦後補償（賠償）の問題、日本在留の韓国人の在留資格問題や北朝鮮への帰国支援事業の問題に加え、歴史認識問題、文化財返還問題まで。

間違いはない歴史的事実なんですけれど、こういう話は日本の学校でも教えられてこなかった。

高山　漁民四千人近くを人質にして、それで日韓賠償交渉をやろう。日本は謝罪しろ、金よこせと李承晩がいい張る。賠償金については、これは日本が絶対に呑めなかった。敵として戦ったわけでもない。搾取どころか、いわゆる日帝支配では日本が金を出す開発型だった。インフラ整備までやって、なんで賠償なんだと。

日韓基本条約の交渉にあたった、久保田貫一郎という、外務省OBがまともな反論をしている。韓国側から「久保田発言」として猛反発されたものです。

「もし韓国併合三十六年間の賠償要求を出していれば、日本としては、総督政治のよかった面、たとえば禿山《はげやま》が緑の山に変わった、鉄道の敷設、港湾の建設、米田が非常に殖えたことなどをあげて韓国側の要求と相殺したであろう」（日韓国交正常化交渉における、一九五三年十月十五日の会談での久保田発言）

要するに謝罪なんかしようがないと。おまえらのほうこそめちゃくちゃやっているんだからと。久保田発言があって、向こうが椅子を蹴って立ったので、それをもっけの幸いに日本が韓国を相手にしなくなった時期が続いた。

李承晩が漁船を人質にとって騒いだ仕返しに、吉田茂が不法入国の朝鮮人を全部大村収容所にぶち込んだ。相手もそれは困ると、最終的には漁船員は釈放された。その交換条件に不法入国で入った韓国人に市民権を与えて釈放するよう要求した。これが、いまの在日問題につながって、日本に大きな禍根を残してしまった。

それから「日韓法的地位協定」にしても、ふざけた話です。

渡邉　まったくです。それに韓国側が求めた「在日韓国人に対する生活保護等に関して妥当な考慮を払う」という規定を入れてしまったために、海外では考えられない外国人に対する生活保護が正当化されてしまっている。

高山　大阪に猪飼野《いかいの》というコリアンタウンがありますね。戦前は韓国の済州島《チェジュ》とダイレクトの船便があって、朝鮮人が多く来ていた。朝鮮半島の統一を訴える左派勢力の武装蜂《ほう》起《き》がきっかけとなり（「済州島四・三事件」一九四八年）、李承晩は「赤狩り」を名目に無関係な島民を含む約三万人を虐殺した。そのときに、済州島から万単位で日本に避難してきた。それで、居ついた人も多い。もともと猪飼野というところは日本の被差別地域であった。

渡邉　さらにいえば、済州島の人たちは半島から差別を受けているという意識が強い。もともと朝鮮は新羅、百済、高句麗と三つに分かれていたことからもわかるように、ただでさえ地域差別が激しかった。特に有名な地域対立は韓国南東の慶尚道《キョンサンド》と南西の全羅《チョルラ》道《ド》で、これは選挙結果などにも如実に表れる。済州島は李氏朝鮮とは違う文化を持った地域であり、李朝時代には流刑地であったこともあって、韓国本土全体から差別を受けた。ですから、済州島の人たちは韓国本土の人間を憎んでいる、という構図がある。

韓国を助けた仁川上陸作戦も否定

渡邉　朝鮮戦争の戦況を一変させたのが、仁川《インチョン》上陸作戦（一九五〇年九月十五日）です。これは三八度線を越えた北朝鮮勢力がソウルを陥落させ、釜山のあたりまで追い込まれ壊滅寸前だった韓国軍を、救った作戦です。

マッカーサーが唯一成功させたといっていい作戦で、国連軍を仁川から上陸させソウルの奪還に成功した。このお陰で北に呑み込まれずに、現在の韓国が残っているのに、韓国国内から「仁川上陸作戦でアメリカ軍に殺された！」と訴訟が起こされて、これを否定する動きがあります。もっとも、アメリカ軍を相手に損害賠償金を請求したのは二〇一九年ですが、さすがに敗訴しています。

髙山　仁川上陸にあたっては、日本の旧軍将兵など一二〇〇人が掃海作業をして死傷者も出した。仁川上陸も日本人が協力した。あそこは干満差が七メートルぐらいあって、ものすごく潮の流れが難しい。それを知悉《ちしつ》している船員や旧軍関係者が協力してやった。

「マッカーサーが指揮した上陸作戦の内部資料には、朝鮮半島の地形を熟知する日本人が運航するＬＳＴ（戦車揚陸艦）が、作戦に大きく貢献したと記されている。海軍の記録を調べると、上陸作戦で使用されたＬＳＴの実に六割が日本人によって運航され、約二〇〇〇人が乗船していたことがわかった。ＧＨＱはアメリカ海軍を通じて日本の商船や船員を管理していた。仁川上陸作戦に参加した元海兵隊員のロバート・ワイソン氏は、ＬＳＴの運航を担った日本人の存在なしには、作戦の成功は難しかったという。

『日本人は朝鮮半島には何度も行っているから、海岸の地形について非常に詳しかったです。彼らは敵から攻撃を受けながら、ゲートを開き、荷下ろしを必死で担いました。われわれは協力し合い、作戦を成功させたのです。』」（ＮＨＫ「ＮスペＰｌｕｓ」二〇一九年三月一日より、ＮＨＫのサイトから引用）

このように評価する向きもあるけれど、いまにして思えば、失敗させるべきだった（笑）。

日本の敗戦で朝鮮の重荷を背負った米国

髙山　実際、アメリカは、朝鮮戦争で共産主義勢力と対峙《たいじ》するようになってようやく、日本の極東経営の努力に気づいた。おかしな民をうまく手なずけてきたと。戦後「ソ封じ込め政策」を提唱したアメリカの外交官のジョージ・ケナンは、朝鮮戦争により「米国が日本を中国、満洲、朝鮮半島から駆逐した結果は賢明な人々が警告したとおりになった」「今日、われわれはほとんど半世紀にわたってこの地域で日本が担《にな》ってきた問題と責任を引き継ぐことになった」といっている（『アメリカ外交50年』）。

引き継いだ結果、南北でケンカを始めて、どうしようもない戦争になってしまった。五十万人もの兵を送り込んで三年したら、朝鮮人二二〇万人、米軍四万人もの戦死者が出た。

要するに、日本人が手綱を離した瞬間から、半島が混乱してしまったわけだ。米兵四万人の戦死は「われわれが日本をまったく理解せず、ただ日本を追い落とすことだけに固執したことへの皮肉な罰と認めざるを得なかった」と、ケナンは認めている。

吉田茂が呆れはてた李承晩

髙山　北朝鮮軍にソウルを奪われ、釜山まで逃げた李承晩は日本に対し驚くべき行動にでた。なんと当時山口県の県知事だった田中龍夫に同県に六万人を引き連れて臨時政府をつくりたいと下命してきた。田中はいまどきのリベラルな知事とは全然違い、元首相の田中義一の息子で満鉄で苦労した男だったから、言下に冗談じゃないと断った。さんざん反日活動をしていた人間がいざとなると日本まで逃げのびて、日本で食わせてもらおうというのだから、厚顔無恥も甚だしい。

吉田茂がこいつは許せないと生涯に嫌った人間が三人いて、そのうちの一人が李承晩だというのもむべなるかな。あとは河野一郎とインドネシアのスカルノ大統領。

李承晩が日本の漁船を人質にしながら吉田茂に面会したとき、「私は爪がありません。これは日本統治時代に拷問でやられました」といった。明らかな嘘《うそ》で、日本統治時代、李承晩はアメリカに行っていた。逆にいうと日本統治という良き時代を知らないから平気で反日ができた。吉田は「嘘つくな、バカやろう」と、ものすごく腹をたてた。

李承晩に爪がないのは、李氏朝鮮時代に捕吏に捕まり七年間獄につながれた際に、拷問されて剝《は》がされたものだった。ふつうは一国の大統領が来日すれば、答礼がある。当然、吉田首相が行くところだが、吉田は拒絶し、外務大臣を代わりに行かせた。そんなところにも吉田の怒りが表れている。

それでまた李承晩はカンカンに怒ったという経緯がある。李承晩みたいな男がトップの国を日本がまともに相手しないのは当然のことだった。

ベトナムと日本の連帯感は強い

髙山　日韓における賠償問題は、朴正熙《パク・チョンヒ》が出てきて交渉を再開するけれど、後押ししたのが、当時赴任してきた駐日大使のライシャワーでした。

ライシャワーが負っていた使命は、世界最強の日本の軍隊を米兵の代わりにベトナムに派兵させることだった。本当は朝鮮戦争にも出したかったが、吉田はマッカーサー憲法を盾にウンといわなかった。その朝鮮戦争がようやく終わったと思ったら、すぐにベトナム戦争が始まってしまった。一九六二年のトンキン湾を端緒に、一九六三年の北爆開始で、また米兵を出さなければならない。その負担を軽減させるために、なんとしても日本も派兵せよと。

日本への派兵要求は朝鮮戦争のころからあって、初めは一九五三年に、当時副大統領のニクソンが訪日して、「マッカーサーが押しつけた憲法は間違ってた。改正して再軍備してくれ。今後はアメリカと一緒に戦おう」と本音を語った。

新聞はニクソン訪日を一面で扱っているんだけれど、吉田茂は、それを無視して、「GHQがつくった憲法とはいえ、いまはこれを使ってるので」と憲法を盾にしてうまく断った。

そうでなくても日本はベトナムに対し連帯感を持っていたから、おいそれと米国のいうことなど聞くはずがない。

大東亜戦争末期の一九四五年三月、当時フランス領インドシナ（仏印）の一部だったベトナムを明号《めいごう》作戦で仏印の植民地政権をたおした。終戦までの短い間だけだったとはいえ、解放したのが日本軍だった。このとき日本軍はサイゴンのホーチア刑務所に収容されていたベトナム人の愛国者たちを解放し、安南王朝を再興した。

また前年からの洪水と干ばつに見舞われ多くの餓死者が出ていたハノイで、日本軍は炊き出しをし、明号作戦のあとは仏政府のコメ倉を開いて食料を放出した（元日本兵の落合茂氏）。

日本の敗戦後、ベトナムの愛国者たちが民兵を組織する。これはよくベトミン（ベトナム独立同盟会）で共産党勢力だというけれど、それは全く違う。民兵は「モッハイ」（một hai）と称していた。ベトナム語で、一、二、三、四って数を数えるときの「一」と「二」にあたるのが「モッ」と「ハイ」。

仏印に進駐した日本兵が「いっち、に、いっち、に」と行進するのを見て、そこからこの名を名乗った。つまり「ベトナム人の軍隊」の意味だった。彼らは北部仏印進駐のとき日本軍がドンダン要塞のフランス軍をこてんぱんにやっつけたのを見ていた。それ以前に日本が日露戦争で白人大国のロシアを倒したことが決定的で、多くのベトナムの国士たちが日本に密航し近代化を学びに来ていた。いわゆる東遊《トンズー》運動で、初めに渡ったファン・ボイ・チャウの手引きでベトナム王朝の皇族クォンデをはじめ二百人もの若者が渡日した。

要するにベトナム人にとってみれば、日本人は独立する機会と勇気をくれた存在だった。だから最初の民兵軍団は、モッハイっていう名前にしたんだね。

日本が降伏した八月十五日以降になると、日本軍に代わって進駐していた英、豪軍などの宿営地とフランス人居留地に、このモッハイが夜襲をかけて被害が広がった。それを防ぐために再武装させた日本兵に立哨《りっしょう》させた。明らかな国際法違反行為だが、国際法は白人のためにある。モッハイが攻めてくれば、まず日本人がドンパチ戦って犠牲になるという寸法で、鳴子役のはずだった。ところが、モッハイは日本人を殺さない。「ベトナム人は立哨する日本兵の間を抜けてフランス人を襲うようになった。日本兵たちはその間、彼らを見ないふりをして夜空を見上げていた」（ルイス・アレン『日本軍が銃をおいた日』）。

結局、立哨を立てても役にたたないからといって、日本兵をふたたび武装解除してカプ・サン・ジャックなどの収容所に追いこんだ、と。

ベトナム人は日本人を心から尊敬していた。終戦後も心が通っていたわけだ。そんな友好的な国に、アメリカの手先として日本軍が行ったとしたら、どうなりますか。アジアの国を独立させる大義のために日本は戦った。それが戦後は打って変わって日本兵が彼らの独立を阻《はば》みに行くとしたら、日本人はどんな歴史を書くのか。そんなこと日本人にできるわけがない。だからベトナム派兵を吉田茂は断った。

日比関係の深さから「桂・タフト密約」はあり得ない

高山　ベトナムとの関係もそうだけど、その隣のフィリピンとも日本は深い関係を持っていました。それは明治まで遡《さかのぼ》る。日本がアメリカのフィリピン植民地化を承認する代わりに、日本の朝鮮半島への優越的支配をアメリカが認めた密約「桂・タフト協定」（一九〇五年）があったといわれる。これほどの嘘はない。

日露戦争の対馬沖海戦で日本が大勝した、その二カ月後ぐらい、まだポーツマス条約が調印される前ですが、米国のウイリアム・タフトがフィリピンの植民地支配体制を作るためにやってきた。

フィリピンの民族独立派に対して、ものすごく親愛の情を持って接していたのは日本なんです。革命家のエミリオ・アギナルドをつづった『あぎなるど　フィリッピン独立戦話』（山田美妙《びみょう》、一九〇二年）がベストセラーになったこともあるし、フィリピン独立革命を支援しようと布引丸《ぬのびきまる》という船で兵器を送り出したが、残念ながら嵐で沈んでしまった。

いまではもう語られることもないけれど、宮崎滔天《とうてん》たちが支那の孫文《そんぶん》を応援したように、フィリピンに対しても同じような志士たちもいた。

フィリピンに乗り込んで米軍につかまり外交問題にもなった。それでもあきらめずにアギナルドを助けようという動きもあった。

そんなときに、日本がフィリピンを見捨てて朝鮮を取るなんて密約があったなんて絶対にあり得ないことです。アメリカは日露戦争の帰趨《きすう》が見えると朝鮮を見捨てた。セオドア・ルーズベルトは、朝鮮半島にあったアメリカの公館をすべて閉鎖し外交官を引き揚げて「あとは日本を頼れ」と李氏朝鮮にいった。無理矢理日本に押し付けた。

これは外交的ないやがらせだった。敵対する勢力に面倒な地域の支配をまかせるという常套《じょうとう》手段で、イギリスも中東でフランスにレバノンとシリアを押し付けた。フランスはいまだにそれで苦労している。

「桂・タフト協定」については渡辺惣樹《そうき》氏の『日米衝突の萌芽　1898—1918』（草思社）が詳しい。しかし日本政府はその密約の存在を否定している。米国では該当する条約も会議内容も公表されていない。

フィリピンでアギナルドと一緒に戦ったアルテミオ・リカルテという抵抗派の大物の男は、第二次世界大戦まで、ずっと日本に亡命していた。フィリピン陸軍の父と呼ばれたリカルテ将軍の記念碑は横浜の山下公園に建っていますよ。

先の戦争で日本が米軍をフィリピンから追い出したあとリカルテは祖国に凱旋《がいせん》してかつての同志アギナルドとともに、ホセ・ラウレル政権の顧問になっていた。それくらいの仲だ。「桂・タフト密約」なんてあり得ない。

日本を封じ込めるための道具としての朝鮮半島

高山　戦後にややこしくなったのは、日韓関係に割ってはいってきた米国の極東経営の影響もあります。有色人種のなかでは支那人ともアフリカ人とも違うこの日本民族は、いつまた牙《きば》を剝《む》くかわからない。将来まで封じ込めておこうという極東政策がつくられた。沖縄の海兵隊の司令官が漏らした有名な「瓶のふた」論もそう。

「もし米軍が撤退したら、日本はすでに相当な能力を持つ軍事力を、さらに強化するだろう。誰も日本の再軍備を望んでいない。だからわれわれ（米軍）は（軍国主義化を防ぐ）瓶のふたなのだ」。（一九九〇年三月二十七日付『ワシントンポスト』在日米海兵隊ヘンリー・

C・スタックポール司令官〈少将〉による発言）

渡邉　GHQが占領中には贖罪《しょくざい》意識を植えつけるためのWGIP（ウォー・ギルト・インフォメーション・プログラム）もあった。

髙山　そう、そう。内から外から日本を押さえつけてきた。国際的には、韓国、中国を使って日本いじめをやらせてきた。

渡邉　米国の民主党が中心になってね。

髙山　そうだね、徹底して。

だから戦後、欧州、アジア、ハワイに至るまで戦後復興プランがあったけれど、しばらく日本は完全に外されていた。石油さえ使えなかった。欧州諸国の復興援助に対しては「マーシャルプラン」があった。日本にも「ガリオア・エロア基金」（占領地域統治救済資金・占領地域経済復興資金）があって脱脂粉乳や牛の飼料のような小麦など食糧が供与されていたのに、それをマッカーサーがあとから有償にしてしまった。

というのも、終戦直前の一九四五年四月、「阿波丸事件」が起き、アメリカは日本への賠償金を払う義務があったからです。

阿波丸は連合軍の捕虜のための物資輸送とかの国際的な要請に応じた緑十字船だった。当然、航海の安全が保障されていたにもかかわらず、米潜水艦クィーンフィッシュに攻撃されて沈没してしまった。

夜間、灯火をつけて航行する緑十字船を撃ったことは明らかな国際法違反行為であり、アメリカ側は言い訳できない。実際アメリカ政府も、国際法に照らして賠償責任があると認めた。ところが四カ月後に日本が降伏すると、アメリカの議会は敗戦国になぜ賠償金を払うのか、有色人種相手に約束を守ってやる必要はない、と猛反対が起きた。

大統領候補になりたかったマッカーサーは議会のご機嫌うかがいで、無償で供与するはずだった援助物資を全部有償一八億ドルにして、日本政府にその一部を阿波丸の二千人の犠牲者の補償金にさせた。アメリカは一銭も払わないで、阿波丸の補償を日本政府にやらせた。しかも余った金をマッカーサーが懐に入れた。

それほど厳しく日本の国力を削いで、さらに中・韓を使って封じ込め、日本が何かしようとすると抑え込む、そういうことをアメリカは戦略的にやってきた。

日本が世界銀行から融資を受けられるようになったのは、戦後だいぶ経って、サンフランシスコ講和条約を一九五一年に結んだあとに、共和党のアイゼンハワーが大統領（一九五三～一九六一）になってからだった。

アイゼンハワーが初めて、日本が世界銀行から融資を受けることをOKした。一九五三年に調印された火力電力プロジェクトから始まって、鉄鋼、自動車、造船、ダム建設を含めた電力開発、それから名神高速道路や東海道新幹線などの建設も。オリンピックができたのも、世銀の融資があってこそだった。それまではアメリカの民主党が世銀さえ使わせなかったんです。

渡邉　日本が世銀から借入れた総額はおよそ八億六三〇〇万ドルもあったんですが、きちんと払い続けて完済したのは一九九〇年ですから。

髙山　だからまさに共和党のアイゼンハワーが登場して、日本は戦後息を吹き返したのですが、そのあとすぐまた民主党政権になっちゃった。ニクソン政権（一九六九～一九七四）は再選後ウォーターゲート事件ですぐにすぐ潰された。ブッシュ親子は共和党なのに中国づいて半分、民主党だった。

渡邉　アメリカの民主党にとっても、朝鮮半島というのは、当時は日本を封じ込めるための道具だった。その結果が朝鮮戦争の勃発《ぼっぱつ》で、ぐちゃぐちゃになっちゃうわけです。朝鮮戦争が起きてから、このままではやばいと、戦略が転換された。朝鮮半島の共産主義、赤色勢力の影響がアメリカに及ばないためには、日本よりも手前に軍事的な防波堤をつくらなきゃいけない。そこから「反共の壁」という構想が生まれてくるわけですよ。「瓶のふた」論もその流れです。

高山　いいかえれば、そのときになって、歴史上初めて朝鮮の存在意義が生まれた。それまでは、あってもなくてもよかった。

存在感のない小国は自然と消える

高山　韓国、北朝鮮の存在感は、日本という恐い存在を、アメリカがどうコントロールするかというときに使い道がでてきた。

セオドア・ルーズベルトは「日本がそうすることは白人の重荷ならぬ黄色の重荷を担う日本の明白な使命だ」（J・ブラッドレー『テディが日米戦争を起こしたのか』）といってい

る。「白人の重荷」というのは、ラドヤード・キプリングの詩にある言葉で、白人が第三世界の野蛮の未開人を啓蒙《けいもう》することが、白人の崇高な使命だという考えだ。けれど、白人たちにとっての「啓蒙」といのは、インディアンに対してそうであったように、目障りな者たちをぶち殺すこと。しかし日本人の場合、朝鮮の民をぶち殺すのではなく、本気で教え導こうとする。文字どおりの「重荷」になる。日本の国力を消耗させるには十分だ、とルーズベルトは読んでいたのでしょう。

中国大陸の共産化があって、北朝鮮の使い方にも意味も出てきた。朝鮮戦争を通じて初めて、南北朝鮮が世界のなかで存在感を持ったんですよ。

ふつうの国というのは、それだけで存在感があるものです。日本という国は、それこそ『ガリバー旅行記』に「小人の国」や「ラピュタ」と一緒に出てきたようにミステリアスで、かつ奇異な国という認識だった。実際、日本は白人の常識を書き換え、植民地を独立させ、さらにウォークマンからアニメにいたるまで現出した。日本というのはとんでもない国だという存在感はいまだにある。よその国もそれなりの存在感をアピールしている。

その意味で朝鮮半島に匹敵する国といえばアルバニアでしょう。東欧のどこかにあるっていうような存在感でどうしようもない国だ。

たとえば、アルバニアはイスラム国家のくせに、ヒトラーに傾倒しナチスにかぶれたりする。かと思えば、隣のユーゴスラビアのチトーがソ連に抵抗しだすとソ連以上にチトーと対抗する。そのソ連が中国と対立すると今度は中国につく、という塩梅。そういうところが朝鮮によく似ている。

はっきりしているのは、アルバニアはギリシャに対するいやがらせで成り立っている国です。ギリシャの誇りアレクサンダー大王のブランドを勝手に取り込んでギリシャを怒り狂わせている北マケドニアの人口の半分はアルバニア人です。

ちなみに南北朝鮮を国連に同時に加盟させたのは、アルバニア決議（一九七一年）だった。蔣介石《しょうかいせき》の台湾ではなく中共を中国代表にするという案も、アルバニア決議案だった。それで蔣介石が国連から議席をとられてしまった。南北朝鮮と同じように国民政府と共産中国によるふたつの中国のような機会がなくなって、ものすごくアンバランスな状態になったんだ。

一九八〇～九〇年代に起きたコソボ紛争とは、セルビアに住むアルバニア人が独立しようとしてセルビア当局と起きた争いで、日本をはじめとして欧米メディアがコソボに同情したんだけど、これもとんでもない話だ。各時代の強者におもねってさんざんセルビアをいじめたのがコソボのアルバニア人だった。もっとも、自分たちがアルバニア人であることをアピールしてコソボをつくっているんだから、朝鮮に比べればたいしたものだ。それなりに存在感はある。

渡邉　ヨーロッパ人から、なんで韓国のことが嫌いなんだって聞かれて、アルバニアとよく似ているよと答えたら、みんな頷《うなず》いてた。アルメニアもひどい。自分たちはヨーロッパ人のつもりだけどヨーロッパ人から見たらヨーロッパ人じゃないという。

髙山　エルサレムにある聖墳墓教会には、アルメニア教会も入っている。そこでアルメニア人とギリシャ人の聖職者はしょっちゅう殴り合いのケンカをしてた。キリスト教徒はみな仲が悪い。だから教会のすぐ傍に住むイスラム教徒が代々、聖墳墓教会の鍵の保管者になってる。

南北朝鮮は、外部環境の歪《ゆが》みなどがあって、初めて存在感がでる不思議な国です。繰り返すけれど、この国をまともに相手にする人も国もない。この国の必要度が薄れていけば、やがて自然となくなるでしょう。

第3章

国家の体をなさない「小中華」の非常識

なぜ中国と韓国は法を守らないのか

渡邉　日韓関係でこれまで大きな問題となってきたのは、韓国側がゴールポストを勝手に動かすことで、日本側もその対応にさんざん苦しんできました。

国際公約や国際条約など、先進国として当然守るべき国際ルールを恣意《しい》的に解釈して、都合よく勝手に理解してきたんです。国際法上、通用しない話なんですが、韓国国内のなかで通用させてしまっているわけです。同じことは、「小中華」の韓国だけでなく、「大中華」の中国にもいえます。

本質的な原因は、「法」の概念をどう捉《とら》えるかの違いです。

西側諸国などキリスト教文化にもとづく「法」という概念は、王権を制限したイギリスのマグナカルタ（一二一五年）もそうなんですけれど、時には横暴化する「統治者の権利を縛りつける」ためというのが基本にあります。つまり権力側を縛り付けるのが法であり、あるいは、俗人やそこに住む人に与えられた権利の章典でもある。

ところが、中国や韓国などの儒教文化圏における「法」というのは、「強い支配者が弱い民をコントロールする」という真逆の発想です。ここには強いものに巻かれるという

「事大主義」的な考えが根底にあります。どちらの力が強いか弱いか、という上下関係に目を配り常に強者に付こうとする生存本能で、私たちが理解する「法」とは無関係です。

これは中韓両国に共通していますが、自分たちが弱者の立場であった場合には、強者の「法」に従う。ところが自らが強者になったと判断したときには、その「法」というか「契約」という概念そのものを壊してしまう。実際に、中国の憲法前文には「国家は中国共産党の指導を仰ぐ」とあって、法治よりも共産党の人治が上位にあるのです。

現在問題となっている米中対立でも、端的にそれが表れている。中国が経済的に弱者の立場のときは、アメリカのいうことを聞いて、グローバルスタンダードに従った。ところが自分たちが力をつけて強くなったと思った瞬間に、中華こそが「法」だといい出した。

こうした背景を前提にすると、韓国や中国が何を考えどう動くのかが、鮮明に見えてくると思います。なぜ法律を守らないのかと日本人が不思議に思っている疑問がわかってきます。

髙山　まさにそのとおりですね。中韓がゴールポストを動かす例は枚挙に暇がない。

日本の場合、ペリー来航で開国して以来、近代日本を悩ませたのは、諸外国と結んだ不平等条約の改正だった。治外法権から、関税自主権、金銀交換のレートにいたるまで、不利な条約を強いられた。しかも、アメリカだけでなくイギリス、フランス、ロシアなど欧米列強に対し結んだ条約は最恵国待遇だったため、一国でも不利な条約を結んでしまうと他の国も同様の扱いをしなくてはならなかった。

それでも日本人は、法を遵守《じゅんしゅ》したうえで、日清、日露による勝利と外交交渉によって不平等条約の改正をひとつずつ成し遂げてきた。その第一歩はメキシコとの交渉ですが、それを行ったのが伊藤博文の外交顧問であるダーラム・ホワイト・スティーブンスだった。

やむを得なかった韓国併合

髙山　スティーブンスはアメリカの駐日外交官として務め上げたあと、伊藤博文に大韓帝国問題の顧問を頼まれました。彼は伊藤博文と同じく朝鮮の植民地化に反対していた人だった。

しかし、そのスティーブンスは、朝鮮人の手によって暗殺されてしまう（一九〇八年）。彼がサンフランシスコに休暇で帰ったとき、日米の朝鮮半島の取り組みについて記者会見して「日本の影響力と保護が強化されることで韓国民衆は利益を得ている。日本にある程度道筋を立ててもらうのが彼らにとっても幸せだ」という発言をした。要するに、セオドア・ルーズベルトの考えと同様に、「自立能力がないと評価され、日本の指導を仰ぐべきだ」といわれた。

それで頭に血がのぼった在米朝鮮人の四人が、ホテルに押しかけスティーブンスを袋叩きにした。彼はなんとか逃げ出したけれど、翌日、サンフランシスコ港からオークランドへ行くフェリーに乗るため、乗船準備をしていたところを、別の朝鮮人二人組に襲撃されて、拳銃を撃ち込まれて殺されてしまったんです。暗殺した犯人は、新聞を読んで祖国がバカにされたと激昂《げっこう》した両班《ヤンバン》の子だった。

翌年の一九〇九年には、伊藤博文も安重根《アン・ジュングン》にハルピン駅頭で暗殺されてしまった。

伊藤もスティーブンスも、もともと朝鮮を植民地化する気はさらさらなかった。インフラを整備して「保護国」として指導すれば、ある程度の段階で自立できるだろうと踏んでいた。ところがこの暗殺を境に、こんな度し難い連中では仕方がない、と完全に日本の指導下に置いた「併合」路線に切り替わった。

一九〇五年から一九一〇年までは保護国化の構想だったのに、伊藤とスティーブンスという、二人の船頭が暗殺されてしまったために、脱亜入欧を唱えていた人たちまで、「おれたちが教育しなければならない。併合やむを得ず」の気運に変わった。つまり、韓国の独立を守ろうとした暗殺者の愚かな行動が、その後の「併合」路線を決定づけてしまった。

日本のように相手のルールに乗ったうえで、地道に法改正を達成するのではなく、暗殺のような手段に訴えて一気に変えようとする。非常識で短絡的な性格は直っていない。

国際法を遵守してきた近代日本

高山　その点では中国も同じ穴の貉《むじな》です。辛亥《しんがい》革命（一九一一年）により中華民国になると、清の時代に諸外国と結んだ不平等条約を、「おれたちは新政府だから、これまでの法律はいっさい関係ない」といって一日にして全部ひっくり返す。欧米列強は日本が中国大陸の覇権を握るのではないかとの恐れもあって、政治的打算から中国の一方的な破棄を呑んだ。結果的に中国は我がままを通すことに成功した。

彼らに国際ルールなど何の関係もない。日清戦争中の一八九四年、清国の巡洋艦「済《さい》遠《えん》」が日本の巡洋艦「浪速《なにわ》」と戦ったときもそう。砲撃を受けた済遠はたちまち白旗をあげた。国際条約では降伏の仕方も定められていて、エンジンを止め、降伏旗を掲げ、さらに艦尾に相手国の、つまり日本の海軍旗を掲げる。そこまでやりながら日本艦が済遠に近づくと、いきなり魚雷を発射して逃走した。国際法を遵守するふりをして騙《だま》し討ちをする。

要するに何でもありで国際ルールを守る気もない。ルールは自分たちで解釈する。いまの南沙でのフィリピンとの領海権をめぐる南シナ海問題にしても同様の態度で、国際仲裁裁判所が中国の主張を退ける判決を出したけれど、それを「紙くず」と一蹴《いっしゅう》して屁《へ》とも感じない。

奴隷しかいない中国、さらにその奴隷民族韓国

髙山　こうした中国のルール無視の淵源《えんげん》がどこにあるかというと、彼ら漢民族は中国の歴史の大方を実質的に「奴隷」扱いされてきたことにある。殷《いん》から始まる支那の王朝は清の満洲民族にいたるまで、中国四千年の歴史のほとんどをモンゴルや満洲族、鮮卑《せんぴ》などの異民族に支配されていた。ちなみに「四千年の歴史」という観念は日本が教えてやったものです。

彼らは、常に征服民族の奴隷でなんの権利もなかった。日本にも留学経験のある作家の魯迅《ろじん》が書いているけれど、「シナには、奴隷を使う人と、奴隷と、奴隷になろうにもなれ

ぬ乞食」の三種類ある。「奴隷を使う人」とは、つまりフビライ・ハンなどの外来の征服王朝のことで、「奴隷」が中原《ちゅうげん》に住んでいる漢民族を指している。

満洲族が統治した清の時代は、満洲族の血が汚れるからと、漢民族との婚姻も認めなかった。もちろん、後宮（ハーレム）にも漢民族を入れなかった。漢民族をそれぐらい差別していた。

古代から奴隷で過ごした漢民族には、人としてのモラルもマナーも何もないんです。即物的で刹那《せつな》的で、性格はひねくれて、自分の都合のいいようにしかものを考えない。魯迅の『阿Q正伝』には、「自分はこう解釈する」と言い張って現実を認めない支那人の姿が描かれています。おれが勝ったんだと心のなかで勝手に事実を歪曲《わいきょく》していく。

そういう奴隷根性の漢民族がルールを無視する一方で、彼らを統治する側のフビライの元《げん》や満洲民族の清は、国際ルールはきちんと守るわけです。だから、ロシア帝国とアイグン条約を結んだし、各国との通商条約もきちんとやる。それからアヘンの持ち込みはダメだと、禁令政策もとる。

その清朝政府の禁令政策の裏で、英国と商売を続けていたのは漢民族自身で、香港《ホンコン》沖の離島をアヘン取引場にし漢民族が買いつけにいくわけだ。

清朝政府はルールに従っている。一方、漢民族、つまり奴隷たちは、その裏をかいくぐって、好き放題にインチキをやっていた。

現在の中国共産党は漢民族王朝ということになるが、彼らは「漢民族などという民族は混淆《こんこう》しちゃって、もう消えている」と主張して多民族国家の民を装う。それは漢民族がでっち上げたもうひとつの「嘘」だ。彼らは間違いなく奴隷根性を持ち続けてモラルもマナーもない漢民族の末裔だ。入れ替わり立ち代わり、外側から四夷八蛮がきては王朝をつくり奴隷にされてきた恥ずかしい過去しかない。国家主席の習近平は、「中華民族の復興、栄光の復興をやる」とか大見得を切るけれど、誇るべき栄光はみな外来王朝のものばかり。漢民族にとって、復興するような輝かしい過去なんてないんだ。

だいたい「中国」（中華人民共和国）っていうのは、国名じゃない。本人たちは中国と呼んでいるけど、世界中で「中国」とは呼んでいない。日本だけ、無理やりにいわされている。「チャイナ」（英語）だとか「シノ」（フランス語）だとか、要するに「支那」と。

それはいいとして、いまの中共も同じように、何があってもすべてを正当化してしまう。負けていても勝利だったという。こうした奴隷民族特有の「阿Q的発想」が支配していれば、ゴールポストを動かすというくらいなんでもない。その奴隷国家に支配されていた朝鮮にいたってはいうまでもない。「大中華」「小中華」の彼らにとっては、当たり前の発想と思ったほうがいい。

「国家」概念の違い――国境、民族、言語とは

渡邉　韓国は中国の属国であり続けましたからね。

第1章でも述べたように、法概念と同様に、大陸に住む人たちの「国家」概念と、われわれ島国の日本人が一般に持っているそれとは、まったく違う。

われわれが考える国家というのはふつう、領域、国民、政府の三つがあって成り立ちます。

領域というのは領土・領海、領空で区切られ、これが外国勢力から簡単に蹂躙《じゅうりん》されるようでは国境を意味しない。

また、国民をまとめるのは民族だったり言語や宗教です。そして、外国の侵略を防ぎ国内の治安を守るのが政府です。この三つがあって国家は初めて成り立ちます。

日本を例にすると、島国であるため領土における自然国境が明確にある。そしてほぼ単一民族であり、日本語という方言はあっても単一の言語を持っている。そして宗教にしても八百万《やおよろず》の神という多神教であり、一神教のような激しい宗教戦争による分裂も起こらなかった。神仏習合のように、他宗教と融合する神道という民族宗教がある。憲法九条は

否定しても自衛隊という実質の国軍があり、警察機構もあって、まがりなりにも政府がそれをまとめ上げている。

髙山先生にお聞きしたいのですが、韓国が「盲腸」とはいえ大陸と陸続きの大陸国家だとしたら、どこに国境があるのかと。国民は何によってまとまっているのか、法を平気で無視する政府がまとめ上げているといえるのか。いったいどう規定したらいいと思いますか？

砂漠の中東の国々もそうでしょうけど、国境をどうやって定義するんでしょうか。

髙山先生は、テヘランにも駐在されておられたので専門でしょうけれど、住んでいる部族がその時点で支配している場所が国であって、明確な国境があるわけではない。広い砂漠においては、「支配地域＝国」となる。

では、部族をどこでどう分類するのかという問題になりますが、一番分類しやすいものとしては言語です。言葉以外のものさしで、部族国家をまとめ上げるのは難しい。

となると、この「朝鮮族」っていうのは、いったいどう考えたらいいのでしょうか。

中東は部族対立をどう乗り越えて団結したのか

高山　中東、イスラムというのはすごくいい例だと思います。

アフリカもそうだけど、アラビア半島はまさに部族社会だった。ベドウィン（アラブの遊牧民族）をはじめとして。開祖のムハンマドが出てくる七世紀当時のアラビアには、多くの部族があったけどみんなバラバラで、たとえば大国のササン朝ペルシャと戦ってもまったく歯が立たなかった。常に大国のほしいままにされてきたのは、それぞれに孤立した部族社会だったからです。もちろん、国でもない。

それを乗り越えたのがムハンマドで、異なる部族がアラーのもとに集まろうと呼びかけた。それがイスラムの始まりなんです。部族の枠を超えるというのは当時の部族社会では考えられない発想だった。

実際、イスラムの共同体となった部族連合「ウンマ」はものすごく強さを持っていた。彼らはカリフの下に団結して戦ったら、過去千年勝てなかったペルシャにもカーディシーヤ（六三七年）や、ネハーヴァントの戦い（六四二年）に勝利し、今まで支配してきたペルシャを逆にイスラムが呑み込んだ。それで初めて広大な地域を支配するアラブ人国家アッバース朝が誕生した。ここからアラブはイスラムの時代に入っていきます。

これは余談にそれるけど、イスラムの「スンニ派」と「シーア派」はムハンマドの後継者をめぐる対立により生じたものだった。ムハンマドの弟子のなかからすぐれた者を選ぶべきだという意見と、ムハンマドの血縁から出すべきだというので割れた。イスラムの団結は血縁的な部族を超えたはずだったのに、後者はムハンマドは後継者に血のつながったいとこのアリーを望んだと主張した。ムハンマドの娘ファティマを嫁にしたアリーが四代目のカリフ（指導者）に就くんだけど、イスラム指導者たちは部族主義を嫌ってアリーは毒殺されてしまう。アリーの二人の息子も殺され、ここでアリーの一族は絶えるのですが、このアリーこそが初代のイマーム（指導者）だと唱えているのが「シーア派（アリーの党）」でペルシャに根付いた。

アリーの息子のフセイン王子の妻がシャハルバヌーという、ササン朝、最後の王ヤズダギルド三世の王女だとシーア派はいう。その流れでササン朝ペルシャの末裔であるイラン人はシーア派を信じている。

それはともかく、結局、韓国にはイスラムが実現したような連帯がない。終始分裂している。

渡邉　中国の例でもイスラムの話でも、ここから共通していえるのは、韓国はどこに消えていくのか、というよりすでに消えているんですね（笑）。

髙山　まさにそう。ロバート・デニーロの映画で、どんなつまらない人生でも一生に一度、十五分間だけ世間の脚光を浴びる華やかなときがある、といったテーマの作品（『15ミニッツ』）があったけど、イスラムの団結はまさにその「15分間」を築いていた。
部族対立を超えたイスラムの団結も、今はふたたび部族化してしまって、結局、元の木阿弥になるんだけれど。中東と比較して考えると、朝鮮というのはいまだ部族のままであり、またはっきりとした部族意識さえ持ってない。彼らには世界を唸《うな》らせる「15分」はない。本書の冒頭でもいったけど本当に泡のような存在かもしれません。

渡邉　確かに実態は「部族」ですらもないかもしれませんね。
言語が一致する地域や特徴的な宗教もない。宗教的なつながりとしては、キリスト教徒が日本よりも多いといわれていますが、正統な流れを汲《く》むものではなく、勝手な解釈を加えた宗派が大部分のようです。統一教会もそのひとつ。
仏教徒は少数派で、キリスト教徒が六割くらいを占めます。そのうち、七〇パーセント以上が勝手につくった異端で「ウリスト教」とも揶揄《やゆ》されている。

韓国は宗教という面でも民族としても整理できない。言語の側面から分析しても、唯一まとまっていた時期は、日本統治下だった。このときぐらいしか民族の歴史として、明確化された時期がない。

髙山　そうだね。悲しいことに歴史がほとんどない。

福沢諭吉がハングルを再評価して近代韓国語は生まれた

渡邉　歴史もないという以前の問題で、言語がないので記録する文化がない。もともとハングルというのは日本統治下において普及したものです。識字率が非常に低かったので、一部で使われていた発音記号を文字化しただけであって、あれは全部発音記号のようなものですね。

髙山　おおもとは室町時代にまでさかのぼる。日本に朝鮮通信史がきているんだけれど、李氏朝鮮四代目の世宗《セジョン》大王（一三九七〜一四五〇）、が日本に水車のつくり方だとか、紙漉《す》きやメッキの技術だとかを学ばせる使節団を送ってました。朝鮮通信使のハシリだ。ところが、技術力が全然ない国だから、日本から貰《もら》った知識や技術が根付かない。同じことを三回も聞きに来たりする。

このとき日本人が漢字の他に平仮名、片仮名を使っているというのを聞き及んで、世宗が自分たちもそれに見合うものをつくろうとした。世宗は漢字ばかり使用してオリジナルの朝鮮語がどんどん消えていくのを憂えていた。いまだって、ほとんど漢字ベースの言葉を単にハングルで書いていただけから、もとの意味もわかってない。

たとえば、朝鮮語でいう「ありがとう」が「感謝（カムサム）」に置き換えられて、それをハングル表記しているんだけど、感謝という漢字も読めなければ、「カムサム」がなぜ「ありがとう」の意味になるのかも、わからなくなっている。つまり歴史と切れてしまってるんだ。

話を世宗の時代に戻すと、それなら、日本のように仮名がいいと、探したらモンゴルのパスパ文字が簡単そうだから参考にして諺文《オンモン》という仮名をつくってみた。ただ、つくってみたものの実際に諺文を使う者がいない。中華思想にかぶれた両班は漢字を使うものこそ偉いんだと諺文をバカにしていた。民衆に諺文を教えようにも学校もないから浸透しなかった。

渡邉 当時、中国の属国でしたから交流を結ぶためにも漢字のほうが実用的でもあった。

髙山 漢字以外の変な表記文字、諺文など学ぶ必要がないと見捨てられ、廃《すた》れてしまった。それで三百年間、忘却の澱《おり》の中に埋もれていたのを福沢諭吉の弟子、井上角五郎《かくごろう》が掘り起こして、活版活字まで作って向こうで教えたんだ。

松本厚治《こうじ》『韓国「反日主義」の起源』（草思社）のなかに、次のような井上の回想があります。

「福沢先生はかねて支那に我が仮名まじり文のごときふつうの文体がないので、下層社会の教育ができず、これを文明に導くことが容易でないといっておられました。しかるに朝鮮には諺文がある。ちょうど『いろは』のごとくに用いられると知られて、先生はこれさえあれば朝鮮も開化の仲間に入れることができると喜んでおられました」（引用者が現代語表記に改めた）

福沢の発言には諺文への誤解もあるけれど、近代韓国語の夜明けが福沢から始まったのは間違いないわけです。福沢は新聞の普及にまさる知識の普及はないと考えていた。

松本厚治によれば、「当地にはもともと洋学の伝統がなく、当時洋書を訳せる人は皆無に近かったから、いきおい直訳ができる日本語が、近代文明への事実上唯一の通路となった」とも記していますが、まったくそのとおり。諺文が復活して普及したから、教育も普及した。「物理」「市場」「社会」など、明治の日本がつくった翻訳語を中国が輸入したのも同じことです。

ところで、個人的には丸や三角が並んだハングルは半島の文明開化の手段にはなっても世界に通用する汎用性は皆無だし、日本人には奇妙にしか見えない。そんなもの日本の交通機関の表示に入れるのは非常識が過ぎる。一体何を恐れて媚びへつらうのか。

渡邉　朝鮮半島の歴史を眺めると、はたして韓国は国家といえるのか、非常に危うい。共通言語はあっても日本語のような文字が伴わない言語だったわけです。

ハングルですべて表記されるようになったのは、日本が敗戦して、日本が半島から手を引いてから以降の話です。それまでは漢字まじりで、戦後もしばらくは新聞も漢字で発行されていた。そのことを考えると、国家どころか民族の定義までが危うくなってきます。

韓国に比べると、北朝鮮のほうが国家としては、よほど体をなしています。前述したように、明らかに日本の天皇制を真似して金王朝という世襲体制をつくりましたから。神格化されたトップを中心に民族がまとまっている。外国から見たらおかしいことも多いのは事実ですが、とりあえず、国家らしきものにまとめています。外交交渉で海外から物資を調達しているし、中国、ロシア、アメリカ、日本といった大国相手に、ある意味、手玉にとりながら国家を運営している。選挙もなければ言論の自由もなく、経済状況も最悪という内情の評価は別にすれば、北朝鮮は、韓国よりも国家としての条件は立派に整えているわけです（笑）。

測量ができない、地図がつくれない韓国

渡邉　日本統治下では、台湾に対しても同様ですが、朝鮮半島で日本がまず行ったのは測量。まともな地図がなかったからです。地図がなければ、インフラとしての道路もつくることができない。伊能忠敬《いのうただたか》の例もあるように、日本は測量技術がしっかりしていました。

その測量の起点である日本経緯度原点は港区の麻布《あざぶ》でした。

朝鮮半島を測量したのち、地質調査や鉱物調査も実施されました。北側は寒冷地域なので、農作物づくりには向かないが、いまも話題になっているレアメタルや鉱物が豊富に出るので、工業化すれば発展するだろうと日本は考えました。地理的に近い、大連や満洲も一帯的に開発しようと。

それに対して南側は北に比べたら、鉱物資源も何もない。比較的温暖な気候を利用して農業を発展させようとした。これが韓国の位置付けなんです。日本統治下における国家設計図のうえでは、韓国はもともと工業国家には向いていない、そう当時の為政者が判断した歴史があるんです。

日本は、三角測量をするうえで重要な三角点の標準を山の上に定めて、鉄杭を埋めていきました。正確に測量するためには不可欠な工事だったのですが、これが韓国では当時から理解されなかった。

ひどいのは、金泳三《キム・ヨンサム》です。彼が、第十四代の韓国大統領に就任（一九九三年）したあと、「光復（祖国解放）五十周年」として、歴史の立て直し事業と称する反日姿勢を強めた。朝鮮総督府の解体もその一環ですが、なんと、測量の基準となっている鉄杭を抜いてしまったんです。「朝鮮半島の龍脈を断ち切るために日本軍が打ち込んだものだ」と。

髙山　そういえば、あったね。龍脈というのは風水でいう気のルートで土地選びで重要視されているものです。

渡邉　その龍脈を断つといって、三角点、基準点の六〇パーセントぐらい抜いてしまったんですね。日本の「呪《のろ》いの杭」引き抜き運動といっていまもやっている。

それはまだいいんですが、抜いてしまったあと、自国で新たな地籍簿（土地の所有者、地番、地目、面積を記載した簿冊）をつくってない。

韓国でいまも使っている地図は、日本がつくったものがベースなんですが、三角点がないから再現できないんです。ＧＰＳで測量をするから大丈夫といってるけれど、ＧＰＳ測量すると地籍簿と実体で三〇〇メートルもずれちゃうことがある。地図上の家の土地が、実際には川のなかということもあるわけです。本来はこれを調整する。ＧＰＳ測量とオリジナルの地籍簿を三角点で調整して実測すべきなのに、これでさえできていないんです。

髙山　それは能力がないからなのか。それとも少しでも残っていれば麻布の基準点から引っ張っていけば、ふたたび調整できるのか。

渡邉　測量に一番大事な三角点と基準点を抜いちゃったら、正確なすり合わせができません。

髙山　自分の国土の地図もないんですね。朝鮮半島の南北の距離である「三千里（約一二〇〇キロ）」を由来とする国土の愛称があるけど、国土意識とか国境とか、そういう価値観もないのかもしれない。ちなみに、三千里薬局があちこちにあるけれどあれはみな韓国人のチェーン店ですね。

渡邉　韓国は主権国家としながらも、自ら作成した地図もなくて、海図もない。現在でも、韓国が使っているのは日本軍がつくった海図です。帝国書院が出版した地図をそのまま採用している。

ＧＰＳで地図はつくっているけれど、昔の地図といまのＧＰＳの地図の間がミッシングリンクになってしまっているんです。

日本の場合は古い地籍簿があって、いまのＧＰＳも使って、継続した新しい地籍簿をつくっています。だから土地の境界を明確に定められる。ところが朝鮮はそれすらできていない。

ちなみに日本でも唯一、それができていないのが沖縄です。戦後、アメリカ統治下の期間に地籍簿がぐちゃぐちゃになった。そのため、登記上の基地の面積が実際の土地の二倍三倍もあって、法外な家賃を貰っている地主がいる。沖縄の闇《やみ》があるんですね。

台湾における測量も同じだったのですが、台湾はいまだに三角点を残している。韓国は、日本統治時代を完全に否定してきた。それが行き過ぎたゆえに、国家の継続性と正統性を維持できなくなってしまった。台湾との最大の違いで分かれ目です。

台湾は日本が統治するまでは、文明が行き渡らない「化外《けがい》の地」といわれるほど、何もなかった島でした。それが日本統治下によって、インフラが整備されて近代的な都市ができあがった。

こういう前提をいったん認めて、統治下の歴史もふまえて自国を定義している。そのうえで、いまはこうであるとか、これからどうするかを考えている。統治下の歴史設備ですら台湾の国家遺産として残しましょうと。

ところが韓国は、それを屈辱の黒歴史として、すべての遺産を悪いものとして排除してしまった。そうすると、ただでさえ「国家」としての概念があいまいだった朝鮮が、その土台をつくった統治時代を否定すれば、いうまでもなく自己否定になって瓦解する。

日本がせっかくベースをつくったのに、ベースそのものを否定しちゃう。自己否定すると積み上げるものがなくなってしまうんです。

「反日」しかない韓国のアイデンティティ

渡邉　そう考えると、アイデンティティが弱い韓国を唯一まとめているのは、やっぱり反日しかない。

髙山　先ほども紹介した『韓国「反日主義」の起源』（草思社）の著者、松本厚治は通産省OBで在韓国大使館の参事官も務めた人だけど、これを読むと、日本統治時代の韓国人は日本人になるための努力を一生懸命やっていた。だから反日なんてどこにもなかったという。

じつは戦後もそれが続いていて、たとえば作家の立原正秋《たちはらまさあき》、れっきとした慶尚北道生《キョンサンプクト》まれの韓国人なのに、常に和服を着ていた。「格好いい日本人」というのを演じていた。産経新聞時代に、文化部の記者が立原正秋のところに原稿を取りに行ったとき、打ち合わせしている間、奥さんは部屋の隅の丸椅子に座って端然と控えていたそうです。日本人の奥さんなんだけれど、まさに日本人の妻はこうあるべきだという姿勢だった。

そんな女性はソウルに行ったって、一人もいないよ。向こうは子供を産めば乳房をむき出しにして歩くような奇習が残っていて、日本人のたたずまいとは無縁な姿だったから。

第4章

暴走する「無法国家」の末路

ずさんな輸出管理、韓国からフッ化水素が行方不明

渡邉　慰安婦合意で国際的に問題化できなくなったあと、文在寅《ムン・ジェイン》政権が誕生して、次のタカリの題材にしたのが徴用工問題だった。これを蒸し返して日本から賠償金をせびるための新しい交渉道具として利用しようとした。この政府の動きに韓国の司法もそれに乗っかった。さて日本側はどういう対応をしたかというと、安倍さんはただただ呆《あき》れ返ったわけです。

髙山　日本人はみんな、呆れた。

渡邉　安倍さんも、もう相手にするなと。

そもそものきっかけは、二〇一六年の日米合同協議のなかで、拡大していく中国に対抗する形で、ふたたび新体制をつくろうというアメリカ側からの動きに端を発しています。東西冷戦時代のCOCOM（対共産圏輸出統制委員会）、いまのワッセナー・アレンジメントに日本側も歩調を合わせる必要が出てきた。COCOMの後継協定であるワッセナー・

アレンジメント（通常兵器及び関連汎用品・技術の輸出管理に関する協定）は、おもに旧西側諸国が参加する武器転用技術の流出をふせぐ安全保障協定です。それがまた二〇一七年の外国為替及び外国貿易法（外為法）改正につながっていくわけです。

アメリカ側からの要望で取引を見直していくうちに、韓国からフッ化水素（エッチングガス）が行方不明になっていることが発覚した。

徴用工問題と外為法は、もともとまったく別の話です。外為法強化は国際的な枠組みとしてやらなくてはいけない。調べたところ、輸出管理において三割以上もの量が韓国に輸出されたあとに消えている。これはまずいなと。消えている先を調べてみたら、中国に横流しされている疑いが出てきた。

直接的に中国へ輸出する場合には、輸出管理においては「個別許可案件」となるので、そのつど検出する度に許可をとらなくてはいけません。ところが「ホワイト国（貿易上の優遇措置を受けられる友好国）」であった韓国を経由して中国に送ると、ここは「継続許可案件」となって、いちいち輸入の許可をとらなくていい。手続きが楽だというので、韓国に入れたものを全部自前の中国工場に横流ししていたんです。韓国のサムスンやＳＫハイニックスは中国に工場を建てていますから。

こうした横流しが発覚したので、日本の経済産業省は韓国に説明を求めた。国際的な貿易のルールに関することですから、説明ができなければ、当然、ホワイト国から外さなければいけない。

ワッセナー・アレンジメントでは、ふたつの規制を定めています。ひとつは軍事転用が可能な武器や汎用品を輸出する際に経産省の許可が必要な「リスト規制」。そのリスト規制以外で大量破壊兵器と通常破壊兵器の開発などに用いられる恐れのある品目（木材・食品を除く）を対象にした「キャッチオール規制（補完的輸出規制）」。ワッセナー・アレンジメントではこのふたつの規制による輸出許可の判断は、加盟諸国の裁量にゆだねている。逆にいうとこの規制から漏れた場合、今度は日本側の責任として処罰されてしまいます。

とくに輸出管理が強化された三物質、テレビやスマートフォンなどの有機ELディスプレイに使われるフッ化ポリイミド、半導体製造に使われるレジストとフッ化水素です。ワッセナー・アレンジメントと同時に化学兵器拡散を防ぐオーストラリア・グループがありまして、とりわけフッ化水素酸（フッ化水素の水溶液）は、化学兵器の合成材料や核濃縮に使われるので、厳しい規制運用がなされているんです。

説明をきちんと貰えなければ、ホワイト国から外さざるを得ない。ところが韓国側が何を勘違いしているのか、これは「徴用工問題への報復だ」といい出した。そもそも今回の規制は日本の輸出業者に課せられたものであって、韓国企業に課されたものではないし、韓国に対してはこれまで許していた優遇措置の撤廃であって制裁ではないのに。

国際法違反であり徴用工とは無関係

髙山　韓国自身もフッ化水素は使うわけでしょう。使用する以上を要求してたんですか。

渡邉　韓国国内でサムスンなど韓国企業で使ってる量はわかるわけです。なぜかというと、製品を輸出するじゃないですか。製品量から、概算でどれだけ使っているのか計算できる。

髙山　どうしても計算が合わないのが三割。かなりありますね。

渡邉　それは、結局中国に渡っていたんです。軍事利用されたかどうかはひとまず関係なくて、輸出管理の規定上はちゃんと守らないといけない。

髙山　当たり前だよね、これは。しかも共和党トランプ政権時代だった。

渡邉　政権以前の問題で単なるルール違反です。なにより、これを止めないと日本がそれを黙認したということになってしまう。日本がワッセナー・アレンジメントから処罰を受けてしまいますから。

髙山　文在寅がオリンピックに合わせ訪日し日韓首脳会談を開こうとして事前協議してたでしょ。結局折り合いがつかず見送られることになりましたが、韓国側は輸出規制解除を求めたようですが、横流ししている韓国側の問題であることは常識的にわかることだと思うけど。

渡邉　彼らの考え方では、認めることは降伏だと思っているわけです。報復云々ではなく、輸出管理に関する事務的な問題であることを日本側は何度も説明した。消えた三割の行方を説明していただかないと、こちらは処分せざるを得ない、と。仮に中国に渡っていたのなら、輸出管理にザルがあったということで、制裁金を払うなり、対応して片付ければいい。こういう提案まで日本側からしてはいたんですよ。それなのに韓国側は「なぜ制裁するんだ」との一点張りだった。

髙山　中国側にとっては、それをシャットアウトされる影響は大きい？

渡邉　申請が面倒になるだけで、シャットアウトされるわけではありません。サムスンやＳＫハイニックスの中国工場で使う分は禁止しているのではなく、届け出すれば中国工場向けにも輸出できるんです。ただ、手続きが面倒なので、韓国は自国にいったん入れて横流ししていたわけなんです。それだけの話にすぎないのに韓国は認めない。

髙山　文在寅が、日韓首脳会談見送りを決断したのは、徴用工問題とどっちの理由が大きいのかな。

渡邉　それはわかりませんが、日本側としては、窓口はいつでも開けている。ただし、過去において約束をしたことはちゃんと守ってくれと。守れないんだったら、ふたたび交渉したところで、何も決めないのと一緒。過去の国際法違反、国際条約違反を是正するつもりがないなら、あなた方に約束は何もできない、とただ当然のことをいっているだけです。

髙山　当たり前の話ですね。相手が韓国でなく中国に置き換えても同じ。尖閣への領海侵犯を含めて多くの国際ルール違反を犯している。いずれ中国と日本は事を構えることになると思っていますよ。

渡邉　ただ、中国と韓国の最大の違いがあります。東西冷戦までさかのぼると、中国は共産主義の東側陣営、韓国は資本主義の西側陣営の枠組みに組み込まれているんです。もともとのベースが違う。

さらに中国はワッセナー・アレンジメントにおいては、軍事的な敵国扱いなんです。軍事的に最終利用できる材料となれば、さらに神経を尖らせる。先日も、外為法違反でどこかの企業がモーターを輸出しようとしてやられましたけれど。

つまり韓国は西側陣営の仲間だという前提があって、国際的なディレギュレーション（規制の緩和・撤廃）が進んでいたので、ややこしい面があります。

二〇〇四年にワッセナー・アレンジメントに韓国を組み込む際も、韓国側に輸出管理に関わる制度がないのが問題だった。日本としては、韓国に輸出するのにいちいち許可をとらなければならなくて、こっちも手間がかかるんです。それだったらと、二〇〇四年の小泉政権のときに経済産業省の肝いりで、韓国側に指導して制度をつくる手助けをした。

経産省に輸出管理の部門があって、その下に安全保障貿易情報センター（ＣＩＳＴＥＣ）という一般財団法人があります。企業の輸出管理を支援するという民間の非営利総合推進機関という建前ですが、ここで輸出管理体制の構築支援、情報提供を行い、日本の外為法だけでなくアメリカの輸出管理規則であるＥＡＲなどへの対応を支援する。さらに各企業には貿易のスペシャリストである通関士がいて、企業の通関士とＣＩＳＴＥＣで輸出管理の安全性を担保しているのが国際貿易なんです。

このような仕組みがなかった韓国の輸出管理体制の構築を支援したのが経産省だったんです。ところが日本では、役人が一〇〇人単位でやっている輸出管理部門に、韓国では相当する部署に一〇人程度しかいないんです。

しかも一〇人のうち七人が天下りで、まともな人材じゃないわけですよ。プロの集まりでない。

さらにＣＩＳＴＥＣにあたる民間機関も、サムスンとか輸出会社が中心なのでザル、日本みたいに真面目にルールを守らないんです。やればやるほど管理が甘くなっていった。

米中対立で韓国は八つ裂きに

渡邉　そもそもが、二〇〇四年の話だから、もう十何年も経過していたんです。二〇〇四年から二〇一二、二〇一三、二〇一四年ぐらいの間、世界的なグローバリズムが急激に進んでいたので、貿易に関する壁もどんどん低くなっていった。東西冷戦の壁はとうに崩れて、中国との貿易でも、かつては厳しかった輸出管理が徐々に緩くなっていきました。そのピークが二〇一六年あたりですね。

根底にある重要な変化として、アメリカが中国を軍事的な敵として認定し始めた。中国の南シナ海への牽制《けんせい》行動として、「航行の自由」作戦をとりました。これは、軍艦を含むいかなる船舶も、他国の領海内では制限は受けても、あらゆる公海を自由に航行することができる「航行自由原則」にもとづくもので、国際法に違反する国に対して実施されるプログラムの一環です。

オバマ政権の末期になってくると、中国の東シナ海問題、尖閣問題を批判し始めました。アメリカ政府内、議会の判断としても、このあたりからハンドルを切る流れができて、国際社会もゆるやかに従い始めたんです。その過程で韓国は米中貿易戦争のはざまで八つ裂きにされた。

高山　国際貿易に関して、そこまで杜撰《ずさん》な国はそう多くないんじゃないの。よその国はもうちょっとしっかりしてるでしょう。

渡邉　ワッセナー・アレンジメントは本来、西側先進国による有志連合の動きなんですよ。

高山　後進国なのはこの国だけか（笑）。

渡邉　ファーウェイの５Ｇ問題が典型的ですが、アメリカとしては先端技術が中国に流れることだけは阻止したいという強い意向がある。軍事に関わる技術のない国を、ＣＯＣＯＭに入れても仕方がない。先端技術を守るための制度ですから。

高山　なるほど。韓国は例外なんですね。韓国は自分たちは先進国だと思いたいのだろうけど。

渡邉　韓国には通常兵器に関する輸出規制を定める法律さえなかった。そんな韓国が参加したいというから、日本が入れてあげて、仕組みまで整えた。文在寅としては、これは「日本の報復だ」といい出した手前、振り上げた拳を下げることができないわけです。下ろすとこがないことをわかったうえで、安倍さんや麻生さんも、ほっとけと無視している。

韓国の常識では国際法より国内法が優先！

髙山　徴用工問題で不思議に思っているのは、韓国の下級審にあたる地裁が最高裁である大法院と異なる判決を出したことですね。「日本にタカルのはやめよう。もはや解決済みの問題じゃないか」とまともな判決にひっくり返した。それまでは国際法では解決済みの問題を蒸し返すような判決を繰り返していたのだから。要するに徴用工はもう問題にならないと、あの韓国の地裁が示したことが不思議でね。

韓国政府もそれを容認するような姿勢をみせているから、次に日韓の障害として残るのは何かなと思ったんです。

渡邉　地裁がひっくり返すっていうのも、ふつうからしたらおかしいですよ。

髙山　そりゃ、おかしいよ（笑）。まともな国だったら、おかしいけれど、まともじゃない国じゃない。国際法や条約で決まったものをひっくり返すのだから。

渡邉　韓国においては国際条約より国内法のほうが上だという認識なんですよ。だから、韓国のことを真面目に考えて期待を持ってはダメなんです。しょせんご都合主義ですから、期待すると痛い目にあう。

韓国の司法制度に関していえば、第二次大戦までは社会の一部では日本の法律が通用していました。憲法をはじめとする韓国の国内法をつくったのは、これもじつは日本なんです。現行でいうと韓国の『六法』にあたるものです。これは日本がつくった法律を、そのまま翻訳したんです。だから、ほぼ一緒なんです。行政法など他の法律もかなりの割合で日本の法律がそのまま使われています。

新型コロナへの対応は旧内務省の防疫に学べ

髙山　総督府時代のものでしょう。

渡邉　そう、戦前の法体系ですね。

髙山　戦後の日本行政にないのは、内務省です。内務省は、警察権も持っていたから防疫体制、検疫体制が厳しくできた。韓国はいまでも、内務省的というか朝鮮総督府がやっていた防疫システム、検疫システムが残っている。だから新型コロナウイルスが発生した初期のころ、韓国は迅速に対応できたのでしょう。

あの韓国でさえ押さえられた。台湾はまさに絵にかいたように、日本の台湾総督府時代のやり方を、踏襲した。

渡邉　ただし、軍事態勢ですからね。朝鮮戦争は、いまだに休戦中ですから。ちなみに朝鮮戦争の休戦協定は、アメリカ主導の国連軍と朝鮮人民軍、中国人は義勇軍によって締結されたもので、休戦に反対していた韓国は署名していません。

髙山　日本がこんな孤立した島国でありながら、初期段階で防疫体制がとれなかったのは、内務省をGHQが解体してしまったからです。

渡邉　日本の植民地統治時代の遺産として、総督府に実権が集中する仕組みが残っている。

しかも韓国も台湾も、戦時下の国家体制をそのまま維持している。軍事独裁政権から国家体制が変わってなくて、行政と議会が独立しているんです。日本のような議会制民主主義ではなくて、アメリカと一緒なんです。行政は行政としての権力を持っている。立法府はあくまで法づくりに徹する。

韓国の最大の問題は、良くも悪くも大統領に権限が集中していることです。戦前の日本と一緒というよりも、あとからつくられた要素が強い。独裁国家の国家構造と見たほうがいいかもしれません。

髙山　それでも行政の根っこには一九一〇年からスタートした朝鮮総督府のやり方があった。これで腸チフスからコレラ、ペストを全部退治して、感染拡大を抑えた。そして朝鮮人の平均寿命を二十四歳から四十七歳までいっぺんに高めることに成功した。その総督府時代のシステムが韓国・台湾には、ある程度残っている。

実権が集中する行政システムがあって、防疫体制が動いた。あれは空港や港湾もすべてチェックできるんです。コロナ騒動ではそれを実行したというから、総督府のときと同じだなと思った。

総督府時代の詳細なリポートがある。隣組みたいなのをつくって、それで一軒ずつ検査させて、病人を隠してないか各市町村の人たちで構成する防疫班が村のなかのすべての家々をチェックし、隠れ患者を見つければ賞金まで出していた。流行地への交通を遮断したり、集会を禁止したりと記録にある。支那の船は沖泊めして、乗員の検便検査をしたうえで入港を認めた。ただ乗船者のなかの「支那人下層労働者」はいっさい入国禁止とした。総督府はイザベラ・バードが「道は狭く、家から出された汚物が覆い、凄まじい悪臭を漂わせる」と記した朝鮮に衛生観念を教え込み、各戸に便所をつくらせた。

渡邉　台湾でいうと二〇〇三年のＳＡＲＳ（重症急性呼吸器症候群）の経験が、新型コロナウイルスへの早い対応につながりました。日本ではＳＡＲＳによる被害はゼロでしたが、韓国・台湾とも被害が出ていた。台湾では民進党の陳水扁《ちんすいへん》政権時代で、政権が壊れたのはＳＡＲＳが原因だった。

髙山　そんなに被害が出たんですか？

渡邉　七三人もの犠牲者が出ました。経済が止まったり、ロックダウンが起きたりと大変だった。対応が悪くて国民からの批判を受けたから、今回のコロナでは初動ですばやく対応しました。

なぜかというと、そのときの官房長官が、いまの民進党の幹事長やっている劉世芳《りゅうせいほう》さんで、これはやばいと蔡英文《さいえいぶん》総統とともに一気に危機管理に動いた。じつは、コロナ感染初期に日本にもいらっしゃっていて私が自民党側ともつないだのですが、残念ながら、台湾の教訓が日本政府にはいかされなかったのです。

る。

法律の海賊版が横行

渡邉　併合時代の総督府の構造が、そのまま韓国に残ったうえで、大統領制が生きている。

このうえに他の法律が乗っかってくると、ややこしくなります。一九九〇年前後から韓国が独自の法律をつくり始めたんです。このあたりから、法律の整合性がなくなりだした。日本の法律でいいものがあると思うと、翻訳して勝手にコピーしてしまう。

だから、国際的に影響を及ぼす法律と、いわゆる「親日法（親日反民族的行為者財産の国家帰属に関する特別法）」のような議会が勝手につくる法律が、ごちゃまぜになり始めてしまったんです。

日本ではこういうふうな問題が生じないように、内閣法制局がある。過去の法律と照らし合わせて、矛盾のないよう整合性を整えながら法改正をやるわけです。それで、法律をつくるときには関連法といって、三つ四つの法改正になったりするわけです。韓国は、これをやってない。それどころか法制局がもともとないんです。

髙山　そりゃそうだ。植民地根性が残っているようなところだからね。法が矛盾して整合性がなくなるのは、おかしいという感覚がないんですね。

渡邉　都合にあわせて法律を持ってきているだけだから、判例を簡単に変えることができます。韓国の司法も一応は三審制なので、通常は最高裁で判例をつくってこれが変わる場合、法の基礎である信義則からいえば、「事情変更の原則」が適応されなければなりません。事情変更の原則とは周辺環境が大きく変化したり、歴史的経緯によって価値観が変わるというように、事情が大きく変わったと認められた場合に、地裁から高裁に上げて、高裁が判例をひっくり返すということはあり得るんです。けど韓国のように判例が出て半年も経っていないのに大きく事情が変わるなんてことはまずあり得ない。

司法の独立なき無法国家

髙山　前述しましたが、六月に韓国の地裁が徴用工に対する損害賠償訴訟の請求を却下した件は、文在寅の訪日に合わせて「韓国も譲歩しましたよ」と日本人を騙すための判決だったんじゃないのか。

渡邉　韓国の司法は、独立してませんから。支持率からいって、韓国内で保守党勢力が力を持ち始めていますから、司法も保守党の裁判官がそういう判決を出した可能性はあります。司法のなかもめちゃめちゃで、検察がダメといったら、今度は政府高官らの捜査については、「第二検察」（高位公職者犯罪捜査処）という別の組織をつくってしまった。

髙山　まともな理論は通じない。

渡邉　大統領を訴追できるのは検察なわけだから、特別検察官が大統領をくびにしたりできます。韓国では、大統領に就任すると死刑執行証明書にサインするようなものともいわれる。死ぬか、死ぬまで刑務所に入っているか、自殺するかと、三択になっている。韓国の歴代大統領の最後はみんな悲惨ですね。

そうなるのは検察の力が強すぎるからだというのを大義名分にして、特別検察官を廃して第二検察官、検察を取り締まるための検察をつくりはじめた。今回大統領選に出馬するのは潰された側のトップだった人です。検察官による抑止力としてですけれど、これで法治国家といえるのかと。

髙山　国家の体裁は一応とってはいるけれど、まともな国じゃない。

渡邉　そもそも、「親日法」が認められちゃっている国なので、法の不遡及《ふそきゅう》の原則に反している。事後法で処罰できちゃいますから。「あいつムカつく、じゃあ法律をつくって処罰しちゃえ」というのは、法治主義ではない。

朴槿恵《パク・クネ》だってそうです。職権乱用とか公選挙介入罪という罪に問われましたが、朴槿恵自身はお金を貰ってないですから。朴槿恵の友達というのが、サムスンから貰ったお金をロンダリングして私物化したといわれれば、そうかもしれない。けれど朴槿恵自身はお金貰ってないですから。それでも本人が逮捕されてしまったんです。朴槿恵が実際にお金を受け取ったなら、まだわかるんです。朴槿恵の友達が朴槿恵の名前を利用して、大統領の顧問としてサムスンなどからお金を貰っていたという話ですが、これで、共謀関係があるといわれてもとふつうは疑問に思います。

髙山　こじつけとか遡及法的なものが、まかり通ってしまう。

渡邉　ねたみの国家というか、法の概念がまったく違うんです。

第5章

韓国がなくても平気な日本経済

韓国を勘違いしたアメリカの経済学者

髙山　一九六〇年代に活躍した学者で、ウォルト・ロストウというアメリカのエコノミストがいました。ロストウの「段階的経済発展説」によれば、生産性の低い古代の伝統社会から、段階的に経済発展していくという。物々交換から商売が始まって、やがて貨幣経済となり、徐々に経済基盤ができていく。それから教育基盤や政治基盤ができる。枠組みすべてが整ったとき離陸（テイクオフ）して、大量生産、大量消費の時代へとステップアップしていく。じつは、この発展モデルは江戸から明治へと近代化した日本を参考にしていたんです。日本ぐらい歴史の発展段階が見える国はないから。

彼は、アイゼンハワー、ケネディ、ジョンソン政権の政策決定にも関与したほどの学者なんです。そのロストウが、李承晩《イ・スンマン》時代の韓国へ行ってみて、「工業化なんてあり得ない」と断じた。因襲がらみで政治、経済の基盤がない、教育もなってない、日本があれほど整備したインフラも、朝鮮戦争でほとんど破壊されてしまった。韓国政界の分裂と不正は矯正できない風土病だ。儒教的な技術蔑視《べっし》に改善の余地はなく、工業化なんて望むべくもない、とまあさんざんいって切り捨てたわけだ。

日本が面倒を見始めたころも、韓国はまさにそういう状況だった。ロストウが最初の訪韓から三十年後、ふたたび韓国に行って見てビックリした。経済規模が世界第七位に成長して、ビルが建って、工業も発展した。サムスンもできた。「私が見立てをあやまったのは、この国だけだ」といって、前言を取り消した。

しかしロストウは間違っていなかった。彼が見た鉄道も地下鉄も造船もすべて日本がカネと技術を出して作ったものだ。いわゆる漢江の奇跡は日本製で、韓国人は昔と何も変わっていなかった、お膳立てしたことだろうと。

渡邉　すべて日本のカネと技術だろうと（笑）。

「漢江の奇跡」は日本がつくった

髙山　日本からカネをせびるため、その交渉を促したのが朴正熙《パク・チョンヒ》でした。朴正熙は「日本が大好きです」と血書を書いたほどでの男です。貧乏な家庭で学校にも行けなかったのを、日本人教師は彼が優秀だったのでただで師範学校に入れてやって学校の先生になれた。しかし彼は軍人を目指して日本人の満洲軍官学校を希望したけど、年齢制限に引っかかった。でも、「日本国民として忠誠を尽くしますから、ぜひとも」と血書を書いてそれで入れた。日本人の心の襞《ひだ》を知悉《ちしつ》した男だった。

この男は反日丸出しの李承晩より悪賢かった。それまでは日韓の賠償交渉で、日本側は謝罪もしなければ、賠償もしないと、ずっと拒否してきた。李承晩が追放されるまでの間、日本側は格好だけの会談で流して、ウンともスンともいわないで済ませた。

軍事クーデタを起こした朴正熙は日韓交渉の場に立つと、まず賠償という言葉をひっこめた。謝罪もいらないけど、とにかくカネをくれといってきた。その代わりに、韓国は日本の代わりにアメリカの手先としてベトナムに兵を出すから韓国保有資産の八五パーセントを占めた日本資産の返還を放棄させた。さらにそのうえ、八億ドルのカネと技術援助を日本側に呑ませた。

渡邉　賠償金なんてあり得ないですね。当時韓国は日本（大日本帝国）の一部として、戦争を戦ったわけだから、そこに国際法上の賠償金はない。賠償義務はないけれども過去の歴史を鑑《かんが》み「解決金」という形で片付けてあげたんです。

髙山　本当は日本がベトナムへの派兵を断った。その後処理にライシャワーが日韓交渉を再開させた。「日本人の代わりに、韓国人に血を流させる。韓国兵は年間五万人ずつ出す」と。いわゆる猛虎部隊ですね。それを出す代わりに、韓国経済の救済のために米国が出しているカネを日本が肩代わりしろとなった。当時、韓国で外貨を稼げるのは売春婦ぐらいだった。

渡邉　そのカネでできたのが、たとえばポスコ（旧・浦項総合製鉄株式会社）です。日本の資金といまの日本製鉄やJFEスチールからの技術導入を受けて設立された。

安全保障上でいえば、河川氾濫《はんらん》を防ぐための改修工事もやりました。北朝鮮の任南《イムナム》ダムの土石流がソウルの街を襲うことを防ぐために、上流域に平和のダムというダムをつくった。ソウルの地下鉄などもそうですが、漢江《ハンガン》の奇跡の前提となるさまざまな基礎的インフラを備えた。戦後の日本は、技術供与とともに、ふたたび投資した。

いまの韓国の財閥の大半が、日本からの技術供与を前提として成り立っているわけです。ラッキーゴールドスター、LG、キンセイ、サムスン、それに並行して動いたのがロッテだった。ロッテは日本で商売をやっていたのが、日韓協定を機に韓国ロッテグループとして里帰りするような形で戻った。

韓国の電力メーカー、家電メーカーなども、全部そうです。通信会社KT（南北テレコム）、通信会社、インフラキュー、韓国電力など。もともと、日本がつくった国有企業がベースになっていた。

高山　韓国の奇跡的な経済成長は、日本がつくり上げたものだった。だからウォルト・ロストウも勘違いしてしまった。製鉄や造船など、日本の技術と資金なしではあり得ない成長だったわけです。

一九九七年のアジア通貨危機が流れを変えた

渡邉　日韓関係を眺めなおすと、やはり、日本にとっての韓国の立ち位置は、ロシア、中国の共産主義の脅威に対する「防共の壁」という意味合いが一番大きかったんですね。前述のように、南北朝鮮を分かつ三八度線によって防衛ラインを日本より上に引き上げることができた。と同時に韓国を自由社会、西側陣営のショーケースとして、北朝鮮や中国、ロシアに対して資本主義の経済力を見せつける意味合いもあった。それが韓国の存在価値だった。

それが東西冷戦の終結によって、それが暴落していくわけですね。北朝鮮の脅威は依然としてあるものの、中国とロシアという東側の二大大国が、かつてほどの強敵ではなくなってきました。その過程で韓国の価値も、自然的に低下していったのです。

また、韓国自身も反共色が失われていく。軍事独裁政権からゆるやかな民主化が進んでいくなかで、共産主義シンパや社会主義者なども国内で台頭し始めた。それが日本にとっての価値の低下に拍車をかけた。

なんといっても、大きな歴史的転機になるのは、一九九七年のアジア通貨危機でした。タイを皮切りに、インドネシア、マレーシア、韓国などに波及し、韓国では財閥系の起亜《キア》自動車や大宇《デウ》グループも破綻《はたん》しました。通貨も大幅に下落して、ついにＩＭＦによる韓国救済にいたった。

このアジア通貨危機までは、日本が主体となった資本のつながりが強かったのです。解決金を積んで投資したものや、日本の銀行融資などなど。韓国の大財閥を含む、すべての企業体が日本からの借り入れを増やしていました。

通貨危機によって、ほとんどの財閥が解体されていき、結果的に日本と金融的なつながりも希薄化していった。これによって、日本と韓国の、経済的に密な関係性がどんどん失われていったわけです。

アジア通貨危機の反省から、これがふたたび起きないような構造を日本政府は構築しています。日本銀行がFRB（アメリカ連邦準備制度理事会）との間で無制限の通貨スワップ協定を結ぶ一方で、日本政府はアジア各国との間で、ABMI（アジア債権市場育成イニシアティブ）やCMI（チェンマイ・イニシアティブ）などの枠組みを提供しています。いざ通貨危機が起きたときには、日本がアジア各国にドルを融資する仕組みを日本主導でつくったのです。

ちなみにリーマンショックの直後、二〇〇八～〇九年にかけてのことですが、ウォンが暴落して通貨危機に陥りました。慌てた当時の李明博《イ・ミョンバク》大統領から直接、麻生太郎総理に助けを求める電話があったそうです。賠償問題を持ち出さないことを条件に日韓スワップ協定を結びましたが、自民党から民主党に政権交代すると李明博は態度を急変。竹島に上陸したり、天皇陛下を侮辱したりとひどいものでした。

日韓は「鵜飼」の経済構造

渡邉　一九八〇年代後半には日米貿易摩擦があって、日本国内からの直接的な輸出が不可能になっていきました。そこで日本国内での最終生産をやめて外国企業に切り替えると同時に、ビジネスモデルをB to C（企業対消費者）からB to B（企業対企業）、B to G（企業対国）へと切り替えてきました。そのなかでも、韓国を利用した迂回《うかい》貿易の構造はずっと続いていました。

「鵜飼《うかい》の鵜」と喩《たと》えられたように、韓国が伸びると、日本はさらに儲《もう》かる経済構造で、日本と取引するほど韓国の貿易赤字が自然に増えていく。国別では日本が最大です。

確かに韓国のサムスンは世界一、二位を誇る半導体企業です。しかし、実際の中身は日本製が多くを占めている。半導体を製造するための基礎材料や工作機械も日本製で、この構図はずっと変わってないわけです。

日本にとって韓国は、オンリー韓国ではない。韓国に需要があったので輸出していただけで、韓国がそれを拒むのであれば別に構わない。それが中国との大きな違いです。

中国に日本が依存しているものは多いけれど、韓国に依存しているものはほとんどありません。韓国がダメになったら、他から入れるだけのことです。その典型が半導体です。フラッシュメモリーなどの「メモリー半導体」にしても、ＣＰＵ（中央演算処理装置）などの「ロジック半導体」にしても代替先はある。

たとえば有機ＥＬを使用したディスプレイなどは韓国の独壇場ですが、出光興産の技術特許と発光材料がなければ生産できない。逆にいえば、出光が指導すれば世界のどこでもつくれるのです。

日本は、台湾TSMC（台湾積体電路製造）との関係強化を望んでおり、反日活動を続ける韓国との取引にはメリットがほとんどなくなってしまっているんです。これが、いまの現状と見てますけど、髙山先生はいかがですか。

髙山　まったく同感です。歴史的に補足すると、繰り返しになるけど、李氏朝鮮まではもともと存在意義がほとんどなかった。ただ関ヶ原みたいにときどき戦争の舞台になるだけだった。

渡邉　バルカン半島のように発火点みたいになることはある。

髙山　交通という観点においてもやはり存在感があるとはいえなかったんですね。たとえば遣隋使《けんずいし》、遣唐使《けんとうし》にしたって、大陸に渡るのに地理的にいえば陸路のほうが安全にもかかわらず、海路を選んだというのもよく考えると不思議でしょう。

遣唐使船だって、初めは九州から対馬を経て朝鮮半島の西海岸に沿って北上し、渤海湾《ぼっかい》を横切って山東省に上陸していたんだけど、新羅《しらぎ》が邪魔をしてこのコースをとれなくなった。そこで九州から東シナ海を横切って寧波《ニンポー》か杭州を目指す海路になった。でも三〇〇トン足らずの平底船で一〇〇〇キロの外洋航海なんて無謀だから半分以上は遭難している。阿倍仲麻呂《あべのなかまろ》なんて、行ったはいいけどもなかなか帰ってこられなかった。安南、いまのベトナムに流れついて、現地の長官にされたくらいです。

それでも朝鮮半島経由の陸路の手段は選ばなかった。世界史的にも朝鮮経由は、あり得なかった。

「アジアハイウェイ」と日韓海底トンネル

髙山　「アジアハイウェイ」といって既存の主要幹線道路を結んで、アジア三二カ国を横断する構想があります。一九六八年から日本を主体に国連アジア太平洋経済社会委員会（ESCAP）が構想した路線図では、北京発でイスタンブールまでのルートはつくられ、東側はソウル―東京が想定されたけど想定だけで終わっていた。

渡邉　海を隔ててますからね。

髙山　それで結果的にどうなったかというと、一九八八年に中国が参加することになったら、ソウルがスタート地点にしようと韓国から横槍が入った。日本は「アジアハイウェイ」に多額の資金を出しているので、「それはならん」と東京発になった。東京とソウルを結ぶ海底トンネルは案もなく、フェリーで運べばいいだろとなった。それでアジアハイウェイの起点が東京になった。

いまでも日韓海底トンネルなんてとんでもないと拒む声は大きい。もう韓国側から掘ってるっていう話も出てる。

渡邉　それは統一教会が主導で騒いでいるだけなので、心配ありません。仮に向こう側から一方的に掘っても意味がない。トンネルは同時に計画を立てて同時に掘らないとつながるはずがないから。

髙山　まあ、無理に決まってるだろうけど、日韓海底トンネルなんて絶対に止めるべきですね。

渡邉　韓国が金を出すならいいんじゃないですか、いざとなったら水攻めすればよいだけですから（笑）。

反日運動をすればするだけ損をする

渡邉　話は変わりますが、韓国でよくロウソクを灯した抗議デモ、「ロウソクデモ」をやってるんだけれど、じつはあのロウソク、日本製だったんですよ。韓国のロウソク会社はアジア通貨危機でほとんど潰れたから、自前でロウソクを製造できない。ですから、ロウソクデモが起こる度に、日本のロウソク会社が儲かっていた。最近ではＬＥＤの代用や中国製のようですが。

高山　反日運動で日本製品のボイコットやったら、日本企業がさっさと販路を閉じたなんて話も、よく聞きます。結婚指輪の「ＬＵＣＩＥ（ルシエ）」も韓国に進出して十四年だというんだけれど、撤退する。不買運動のせいでね。それからファーストリテイリングのＧＵ、ロイズチョコもそうでしょう。

渡邉　韓国産業研究院の調査によると、不買運動が激しくなった二〇一九年には日本企業の撤退は四五社と外資のなかで最も多い。これコロナ前ですから二〇年以降はさらに拍車がかかるとみていいでしょう。総合商社や日産も撤退している。

日韓の貿易構造はいびつなんです。ビール会社が典型的な例ですが、韓国に輸出している日本企業の多くは、同時に韓国からの輸入を促進させています。

たとえばアサヒビールは輸入ビール全体の首位を保つほど韓国では人気ですが、韓国産のホップをかなり使っています。

わざわざ韓国産を使う理由は、韓国では資金の持ち出しに制限がかかっているからです。企業としてはバーター取引にするしかない。そうすれば、為替手数料がかからないわけです。ウォンはハードカレンシー（国際決済通貨）じゃないので、送金手続きが面倒だし、ウォンの為替手数料も大きい。

日本企業がビールを韓国に輸出する。その輸出金額に見合う商品を韓国から輸入する。いわゆる地下銀行の形で物流のバーターをしている。だから韓国への輸出が増えると、韓国からの輸入も増やさないといけない構造になっている。モノを輸入してバーターしたいのが企業側の本音だと思います。だから輸出が減れば輸入も減る。対中国との貿易も同様で、中国も資金を容易に持ち出せないので、商品のやり取りで代金を回収することが多い。

したがって韓国の場合、反日運動で輸入を止めると、ならば韓国からホップ買うのをやめようという話になってしまう。特段に安い価格なら取引する意味はあるけれど、そうでないなら決済のために使っているようなものだから。

髙山　反日運動をすればするほど韓国は損をする。入超になって日本からの輸入が二兆四〇〇〇億円になった。日本に買ってもらうのも減っちゃった。それで一兆一〇〇〇億円の貿易赤字を出すことになった。

渡邉　不買運動するとむしろ「韓国側の被害が大きい」という主張は、韓国国内からもあります。下着のワコールや化粧品のＳＫ―Ⅱ、セコムなどは国内の労働者が被害を受けかねないから取り下げる動きも出ていたそうですし、「韓日間の貿易で消費財の割合は一五パーセントで、ほとんどが中間財部品、（不買運動は）日本に影響を与えることはできないだろう」と予想する韓国の経済学者もいるほどです（二〇一九年七月二十二日付「中央日報」）。

ハブとして注目された仁川国際空港の凋落

渡邉　韓国は日本から輸入が増えて、対日貿易赤字が増えている。理由はさまざまですが、中国が一時的に輸入をストップして、中国のサプライチェーンがあやしくなったことがあって、その分を日本が補っているというのが一因です。韓国の財閥、韓進《ハンジン》グループは大きな海運会社「韓進海運」を抱えていたけど、物流の国際的なシェアもどんどん低下している。

韓国の仁川《インチョン》国際空港が一時期大きく伸びました。一番の大きな理由は成田の国際空港化の失敗です。三里塚闘争などの反対運動があって、第二滑走路がつくれなかった。結局、国際空港としては中途半端な規模になって、物流を増やせなかった。それと阪神淡路大震災（一九九五年）で、神戸が国際港としての機能が停止したため、一時的に輸入が止まりました。このときアジアのハブとして、釜山《プサン》港を代わりに使わざるを得なったんです。韓国はいわば漁夫の利を得た形だった。

髙山　ハブ空港として仁川は大注目されていたけど、現在はどうなの。

渡邉　仁川は伸びてはいましたけど、新型コロナ禍でまたストップしている状態です。成田一本に絞っていた国際空港の役割を徐々に羽田に移す「アジアゲートウェイ構想」で、羽田にもヨーロッパ空路ができました。安いＬＣＣ（格安航空会社）と貨物などは成田を使うと。

髙山　その方針でいいんです。オリンピックの選手もずいぶん、羽田で降りていたよ。

渡邉　新型コロナ禍で、飛行機の数が全体的に減っています。これまで右肩上がりだった仁川の位置付けも低下している。場所だけを考えたら、仁川はけっして有利ではないんです。日本の上空を抜けないとどこにも行けませんから。

物流ハブとしての価値も高くないので、韓国はＬＣＣをたくさんつくったけれど、ほとんど破綻状態です。アシアナ航空は大韓航空に呑み込まれ、事実上フラッグキャリアは一社だけになっている。

港の場合でも、日本のほうが有利な位置にあります。残念ながら日本の港湾は、遠浅の海が多いために、大型のコンテナ船が横付けできる港湾が少ない。その点で、釜山港は有利だったけど、地政学的にはけっして有利な場所にあるわけではない。

髙山　釜山港へ行くには、門司《もじ》、関門《かんもん》海峡を通らざるを得ないけど、あそこでしょっちゅう韓国の船が事故を起こしてますね。〇九年には韓国船が無謀な追い越しをかけて海自の護衛艦「くらま」と衝突した。一日平均五五〇隻が通過する海上交通の難所だということもあるけど、韓国側にはかなり悪意があった。

お粗末な韓国人パイロットで事故が相次ぐ

髙山　海ではお粗末なセウォル号が沈没する事故があったけど航空機も事故が多い。サンフランシスコ国際空港に着陸失敗した（二〇一三年、アシアナ航空２１４便着陸失敗事故）こともあった。操縦桿《かん》を握っていた副操縦士と訓練教官役となっていた機長がともに未熟だったのが大事故につながった。計器着陸しかやったことがなくて、自分で操縦して降りることができなかったというから笑えない原因だ。それで手前でショートランニングしてしまった。

渡邉　アシアナ航空は広島でもやっていますね（二〇一五年、アシアナ航空１６２便着陸失敗事故）。計器着陸装置を壊してしまったんですよ。

髙山　とにかく操縦が下手くそなんだ。慣性航法装置（Inertial Navigation System）といって、目的地とコースを入力すれば自動で飛んでくれるんだけど、その入力を入れ間違えたりする。

ソビエト連邦の領空を侵犯したために、サハリン（樺太《からふと》）沖でソ連防空軍の戦闘機により撃墜された（一九八三年、大韓航空機撃墜事件）のもそうだし、その五年前にも航法ミスでソ連領空を侵犯して、ソ連軍機に迎撃されている（大韓航空機銃撃事件）。あんなミスをやるんだからね。

渡邉　大韓空港は秋田空港でも誘導路に着陸しましたからね（二〇〇七年）。

髙山　一九七〇年代に大阪空港でもそんな事故がありました。滑走路に降りるつもりが「タクシー・ウェイ（誘導路）」に降りてしまった。毎日新聞の記者が「タクシー道路」に着陸と報じ、「幸いにもタクシーは走っていなかった」と書いたことがある。

渡邉　それはひどい！（笑）。

髙山　毎日には航空専門の記者がいなかったようだ。だから「タクシー・ウェイ」という言葉も知らなかった。

韓国航空業界に貢献したのはＪＡＬを潰した前原誠司

渡邉　韓国航空業界に貢献したのは、前原誠司さんです。当時の国土交通大臣だった前原さんがＪＡＬを潰したようなものだから。

空の物流で効率なのは、ハブ空港とハブ空港では長距離航路を飛ばし、短距離航路は小型機で飛ばすことです。ただ、大型機は乗客数が減ると一気に効率が悪化します。かつて日本のＪＡＬは、ＡＮＡと違って長距離便と大型機中心の運用を行っていました。それが二〇〇八年のリーマンショックで大型機の回転率が一気に低下したのが赤字要因となって倒産した。労働組合が強すぎたのも一因でしたが。

そこでＪＡＬは一気に国際航路を縮小して、大型機をどんどん廃止しました。いまはもう大型機はやっていない。せいぜいボーイング７７７、７６７くらいで。

このＪＡＬの抜けた穴を埋めて、アジア航路を一気に拡大したのが大韓航空でした。仁川のハブ空港でＪＡＬが持っていた国際航路をどんどん奪っていったんです。

それから、これは日本の地方自治体の失策ですが、日韓でオープンスカイ協定が締結されました。それで日韓の国際線を国内線同様に飛ばし合えるようになった。その結果、たとえばヨーロッパに行く場合、日本の地方都市からいったん羽田や成田を経由するよりも、仁川に飛ぶほうが便利なケースが増えてしまうことになりました。それまで日本から飛んでいた外国行きの長距離便の航空客や航空貨物もかなり仁川に取られてしまったのです。

いまコロナでＬＣＣとか地方便がだいぶ止まっている。これを奇貨として、これ以上韓国に取られないような策を計算していく必要がありますね。

髙山　コロナのお陰で、戦略を練り直せることになったわけだ。ガラガラポンでゼロからどう構築していくか。

渡邉　いま、問題になっているのがコンテナ不足です。東京なんてまったく足りてない。世界各地で物流が止まって、中国がどんどんコンテナを呑み込んでいる状態です。

中国もコンテナを返したいけど、国内の物流が止まったままで、港に入ってきた船にコンテナを戻せない。そんな状況になっています。世界中のコンテナは最低量しか確保されていないので、コンテナ不足で国際的な輸送運賃がものすごく値上がりしています。

日本もアメリカも老朽化した航空機をスクラップして三分の一くらいに減らす計画で動いていたものだから、航空機の輸送も足りない。ピークに比べたら、物流や人の動きが四割ぐらいだといわれています。仮にこれが回復したとしても、今度は航空機が足らないことが問題になるでしょう。

第6章

忍び寄る韓国からの「見えない侵略」

在日朝鮮人を吉田茂いじめに利用したマッカーサー

髙山　第2章で触れた在日の生活保護に関連する、神戸・長田区役所襲撃事件というのがありました。インフレ対策だった「ドッジライン」によりデフレで失業者が相次いだ一九五〇年に、地方税の減免や生活保護の適用を求めた在日朝鮮人が役所に押しかけて大騒動になった。

在日朝鮮人の根底には、連合国軍総司令部（ＧＨＱ）の日本の占領政策の影響が多分にありますね。

日本を四つの島に閉じ込めて滅ぼせという、フランクリン・ルーズベルトの遺言があった。そこで、沖縄は米軍が奪って、四島以外は全部なしと。

それで連合国軍側に居住していた在留邦人を全部日本に帰らせたわけです。国際法でいうと、交戦地域からの引き揚げは命令できても、たとえばアイルランドなどの中立国にいる日本人にまで帰国命令は出せないはずなのに、でも、それを全部やらせた。国際法違反だけど、それで六〇〇万人という信じられない海外在住の日本人が全部追い返されて、日本列島に戻ってきた。

日本人を滅ぼすための囲い込み封鎖をやる。だから内地に入り込んでいた朝鮮人、支那人、台湾人は全部国外に出した。それで、おおかた出国させた。

在日朝鮮人もこのときすみやかに全員帰国させる措置をGHQが講じて、勝手に日本に来ていた約二〇〇万人いた朝鮮人のうち約一五〇万人は帰国させた。ところが国に戻ってみたら、日本統治が終わっているから治安も何もかもでたらめ。帰国者はうんざりして、また密航で日本に戻る者もでてきた。

吉田茂が、「まだ五〇万人も残っているじゃないか」とマッカーサーに問いただした。マッカーサーが「どうしてそんなに彼らをいやがるのか」と考えて、在日を残したほうが日本いじめになるとマッカーサーが閃《ひらめ》いたわけです。それで、急きょ追放をやめちゃったんですよ。それが在日問題の大元にある。

戦勝国民のいい分でわが物顔

髙山　在日朝鮮人で金天海《キム・チョンヘ》という左翼活動家がいて、一九四五年九月に在日朝鮮人連盟を立ち上げた。これはのちに民団と総連の二つに分裂するのだけれど、その金天海が、設立当初にいったのが「われわれの務めは、この日本をわれわれ（朝鮮人）にとって住みやすい土地にする」。

どこの国の者がそんなことをいうのか、とふつうは思うけれど、それで何をやったかといったら、朝鮮人連盟のなかに学習組という組織をつくって大学入学を手助けする機関にした。

東京でも明治、法政、中央大に朝鮮人枠を作らせ、学習組から押し込めるわけです。関西の立命館大学などもそう。朝鮮は連合国の一員で戦勝国民だからというのがその不当入学枠のいい分だった。

国鉄には自由に乗れる権利があるといって、自分たちで勝手に切符を発行した。改札口で断れば殴る蹴《け》る。メチャクチャだった。

新潟の直江津《なおえつ》駅リンチ殺人事件というのもあった。直江津駅の手前の駅で、朝鮮人三人が混んでいて乗れないからと、客室の窓を割ってはいろうとした。日本人がそんな無茶はやめろ、とたしなめた。それを恨みに思って次の直江津駅につくと、注意した日本人乗客を列車から引きずり出して、スコップでなぐり殺した。「戦勝国民」は何をやっても構わないと、好きに振る舞った。

そういう横暴に、唯一、対抗していたのが山口組などのヤクザだった。ヤクザが地方都市の治安を守った実例はいくらでもある。山口組組長の田岡一雄がのちに警察の一日署長を務めたこともあった。いまでは考えられないことだ。

ところで、面白いのは朝鮮人でも悪さをやる連中は、特攻隊のマフラーと飛行帽をかぶるのが、当時一番格好いいスタイルだった。作家の立原正秋と同じような日本人らしさが一番格好いいというメンタリティが、どこかにあるんですよ。

ビルマの収容所での残酷な朝鮮人看守

髙山　この朝鮮人問題はＢＣ級戦犯にも絡んでいた。

戦時中の東南アジア戦線では、日本軍が攻むと、白人たちが、すぐにみんな降参した。開戦して一年もしないうちに、白人ばかりの捕虜が約一〇万人近くも出た。一〇万の捕虜の面倒を見るには、一〇万人分の収容所がないといけない。一〇万というと四個師団、五個師団相当の規模になるわけで、建物はもちろん、それを食わしていかなきゃならない。しかも、捕虜を監視しなきゃならないので、膨大なコストと人員がかかる。

対中国戦だったら、捕虜はとらない、危険がなければすぐ釈放した。

白人相手ではそうはいかない。ジュネーブ条約があって日本はそれを守った。刑務所では、四人五人に対して看守一人というような規約がある。それを基準にすれば一〇万人の捕虜だったら、少なくとも二万人分の看守がいる。一個師団プラスαくらいの将兵を捕虜の管理だけに充《あ》てるのは大いなる負担だった。仕方がないので、朝鮮半島から軍属の看守を募集することにしたわけです。

ところが、彼らは民度が低く、粗野だった。捕虜に対してめちゃくちゃな扱いをした。映画『戦場のメリークリスマス』で描かれた、残忍な朝鮮人軍属カネモトみたいな感じで。それで戦後になって、朝鮮人の看守が一三〇人ぐらい訴追され、うち三〇人くらい死刑判決を受けた。

死刑判決が出たなかで、「トカゲ」と仇名された李某というのがいた。何かの理由で減刑されて、最終的には巣鴨《すがも》拘置所で一〇年くらい務めたあと、出てきた。

そしてそのまま日本に居ついて企業家として成功した。日本は住みよい国だった。その「トカゲ」は、死刑を宣告されて禁固刑まで食らったからと日本を相手に損害賠償を訴えた。結局、一九九九年に最高裁で敗訴が確定した。しかし、彼はハッピーだったとしても彼らの上官の日本人将校が二人、「トカゲ」らの乱暴を許した責任を取らされ、処刑されている。すごい矛盾を感じた。ちなみにBC級戦犯という場合、Cが実行行為を行い、Bはその監督する立場にあると解釈されている。

日本社会に浸透するやつら

髙山　いま心配しているのは、日本の土地を平気で買い漁っている中国人が増えていることです。北海道が典型ですが、自衛隊基地の近隣地区も買収されている。これは中国の「静かなる侵略」といって問題になっている。

渡邉　とりあえずは土地の利用規制が必要でしょう。

髙山　中国の侵略もそうだけど、ただもっと問題なのは、韓国人が日本人を装って海外のあちこちで事件を起こしていることですよ。おかしなことに朝鮮人は日本を恨んでいるわりには、日本人を装いたがる。たとえばニコラス・ケイジに「私、日本人女性です」といい寄った女性がじつは朝鮮人だったとか。

渡邉　サムスンのＣＭでは相撲取りを使ってます。

髙山　日本人女性だと思って結婚したら韓国人女性だったという被害はウェズリー・スナイプスも味わっている。それも問題だけど産経新聞の記者のなかにも、在日の女と結婚しているのが多いんです。

渡邉　これはプリンスホテルの歴史にも、つながる話です。李氏朝鮮王朝の最後の皇太子李垠《イ・ウン》のために建てられたのが、いまの赤坂プリンスホテル旧館。あそこには清和政策研究会（細田派）の本部があったし、韓国を反共の防波堤にするための国際勝共連合をつくった岸信介、笹川良一、児玉誉士夫などの人脈も関係している。国際勝共連合のベースは統一教会であり、日本の右派が宗教を利用して韓国内で壁をつくろうとしたという話ですね。

髙山　朴正熙が交渉を再開したときに、「韓国が日本の壁になってやったじゃないか」「いや、それは違うだろ」という論議が、二年ぐらい続いていた。

渡邉　それは、表裏一体。どっちもどっちなんです。保守勢力の自民党のなかには親韓派といわれる（た）政治家もいます。統一教会の文鮮明《ムン・ソンミョン》がある時期をきっかけに、韓国側ではなく北朝鮮側に寝返ったといわれています。これは二〇〇六年の韓国民団と朝鮮総連の歴史的な和解「五・一七共同声明」と連動しているともいわれている。北の「テポドン二号」の発射で結果的に覆されることになったわけですが、これは総連による事実上の民団乗っ取りだったのです（https://www.mindan.org/old/front/newsDetail86d5.html）。

〈朝鮮〉〈朝鮮人〉「在日韓国人」とは何か

渡邉　日本にも朝鮮人と韓国人がいます。これは出身地による区別ではないんです。どちらの政治体制を選んだかなんです。よく誤解されている話ですが。

戦後、日本政府としては、朝鮮半島の統治権を放棄しました。その時点でカッコつき朝鮮〈朝鮮〉になったんです。これには北も南もない。

その後、日本政府としては、アメリカ政府と一緒に南の韓国だけを朝鮮半島の正統な国家として認めました。かつて日本人であった統治下の朝鮮出身者の〈朝鮮人〉の人たちに、韓国への国籍移行を求めました。このとき、韓国籍にせず〈朝鮮〉籍のまま残った人たちが在日朝鮮人なんです。

国籍を韓国にかえた人とその親族は「在日韓国人」。それで「在日韓国人」になると、もう〈朝鮮人〉には戻れないんです。なぜかというと、〈朝鮮〉という国は存在せず、あくまでもかつて日本人だった〈朝鮮人〉の人たちを無国籍にしないための事務的な扱いにすぎないからです。

そして、韓国籍を選ばなかった人は、韓国政府に否定的で、北朝鮮の体制を支持している人が多いというだけにすぎません。つまり、〈朝鮮人〉＝北朝鮮人ではないのです。同時に「在日韓国人」、〈朝鮮人〉ともに出身地はまったく関係ありません。北朝鮮の首都である平壌《ピョンヤン》出身でも韓国籍を選んでいれば、「在日韓国人」であり、韓国の首都ソウル出身でも韓国籍に移行していなければ〈朝鮮人〉であり、その末裔も同様です。

在日利権と同和利権が手を結んでいる？

高山　私が心配しているのは、日本侵略というか、一万年以上続いた民族国家・日本が消えてしまわないか、ということです。

縄文以来の独自文化を引き継いでいる日本人の特徴は、一言でいうとお天道様に恥じないモラル民族です。最近の遺伝子分析でもその独自性がわかってきて、日本人は韓国人や朝鮮人、中国人やタイ人ともまったく違う独特のY染色体を持っている。そのことを竹内久美子先生が指摘している。

その日本人の血統がいまあっちこっちで侵害されて、しかも侵害されている側の日本人はあまり意識がない。好きになった者同士で結婚するのは、いいじゃないかという考えもある。自分の周りにもいて、韓国人女性と結婚して味覚まで変わっちゃった人もいる。けれどもっと心配なのは、知り合いの評論家にもいるんだけど、あっちの奥さんをもらって、言説も少し変わってきている。最近は韓国に対し宥和的なこともいい出したりしている。

渡邉　なかには工作員もいるでしょうね。

髙山　そう。隠れ朝鮮人みたいなのが本当に多い。それで思い起こしたのが、福井県高浜町の公務員だった森山栄治のことです。関西電力高浜原発の口利きで私腹を肥やしていた。それは、部落解放同盟県連書記長（兼高浜支部書記長）という肩書を半ば脅しの材料にしていた。そのとき手を組んでいたのが、真鶴《まなづる》の在日企業だった。

解同問題は関係者も減ってそれに絡む事件も随分減少してきた。いまさら部落を利権化してるのは、それほど多くはない。そこに在日が食い込んでいるのではないか、ということです。

渡邉　それをいうと、右翼団体の幹部にも在日の方がいますね。

髙山　在日特権と同和利権みたいなのが、融合してしまっている可能性があるのではないか。

渡邉　うーん、「えせ同和行為」と呼ばれるものですね。

髙山　大阪府岸和田市にある「フジ住宅」という一部上場企業が、裁判沙汰《ざた》になったんだけど、これもひどい話でね。在日韓国人三世の女性従業員がいる。いまでも名は明かされていないけれど、ここの社長が社員教育のために『WiLL』とか保守系雑誌の切り抜きを読ませていたら、「これは民族差別」だと姓名不詳の原告が訴えた。

原告側の応援グループは在日が主体らしい。この裁判では被告側がつけているブルーリボンバッジまで問題になった。裁判官は拉致《らち》被害者救出を願うブルーリボンバッジは朝鮮系への差別になるからバッジを外さないと証言させない、といい出した。

問題はその女性社員で、控訴審の段階まできても姓名不詳なんだけど、夫が差別絡みの関係者だった。関電でもフジ住宅の裁判でも同じ構造が出てきてた。しかし、おそらく氷山の一角でしょう。

美人局にやられる駐在員たち

髙山　産経新聞社でいえば、後輩記者二人が韓国系と結婚している。そうなると、韓国問題で果たして正論を語れるだろうか。中国人女性と結婚するケースは、自分の周りではあまり聞かないけれど、やっぱり多いでしょう。

渡邉　いくらでもありますよ。中国に駐在員で行くと、女の子を充てがわれて、写真をばっちり撮られたのちに脅迫されて、好き勝手やられています。

髙山　朝日新聞には多いと聞く。

渡邉　どこも同じでしょう。外国支局に駐在すればそれぞれの国で女性をつくったり、奥さんを連れて帰る人も多い。一人でさみしいでしょうし、恋愛は自由ですから。各国の諜報機関としてはそれを利用しない手はありません。

高山 渡邉さんはこともなげにいうけれど、産経に多くてびっくりして、大御所の評論家が韓国人女性と再婚してまたびっくりして。このままで日本はどうなるんだろうって心配になりますよ。

渡邉 敗戦により日本は独自の安全保障と諜報を捨てたわけで、いまさらの話ともいえます。

時代の流れに翻弄される朝鮮総連と韓国民団

渡邉 戦後しばらく韓国側の民団と北朝鮮側の総連に抗争が続きました。対立構造にあったわけです。

よく知られているように、パチンコホールの多くは朝鮮系で、総連を資金的に支えている人が多い。総連が力をつけていく一方で、民団側は日本に帰化して同化していく人が増えていった。

　でも総連側は南北の文化的な違いもあって日本と対立する方向に進み、拉致問題の浮上などでさらに求心力を失っていった。拉致問題のときは、総連のメンバーというだけでいやがらせを受けた人もいて、韓国籍に移した人も少なくないんです。じつは総連の職員でも、ご都合主義で韓国籍の人がけっこういる。自由に海外にも行けないからです。北朝鮮籍のパスポートだと日本から出国できないから、外務省が代わりに発行する再入国証明書で出国するんです。

　それでも、いっときは民団のトップに総連の人間が就く直前までいったことがあったんです。事実上民団の中身は総連に呑み込まれてしまった状態だった。反共の壁としての意義が低下した韓国のランクダウンに連動していたようです。

　ベルリンの壁崩壊（一九八九年）で東西の冷戦が終結して、結果的に、北と南との間の壁も薄くなってきた。南北の情勢と合わせ鏡のように、日本の在日社会も変化しているんです。

高山　だけど、北は相変わらず勢いあるじゃない。

渡邉　金王朝はまがりなりにも三代目ですからね。国家の成り立ちとしては、韓国より正統性がある。

高山　あと三十年、いや百年続いたら、本格的な王朝になるかもしれない。

台湾はいつのまにか独立を果たしていた

渡邉　独立ということでいうと、台湾側が最近よく持ち出す概念として「自然独立」という考えがあります。

領土を自主的に統治、支配している。軍隊も警察も機能している。選挙もある。この構造体が五〇年も続いたら、自然に独立した国家だと認められるのではないか。北はとっくに独立している。韓国も一応は独立してるんでしょうから。

高山　光復節を八月十五日にして、日本を追い出して独立したことになってる。

渡邉　日本というご主人さまを亡くした日でもありますね。

髙山　しかし日本が韓国を併合したのは最大の失政だったね。保護国のままにしておけばまだよかった。

渡邉　台湾との違いですね。台湾は日本併合になってないですものね。台湾は台湾として、日本とは別枠のままで日本が統治した形になっている。日本統治下の台湾なんです。朝鮮半島は日本の一部だった。

髙山　それにしても、驚くのは、広島原爆のとき、広島市の人口は約三四万人。そのうちのおよそ八万人も朝鮮人がいたんですよ。被爆者数もそれに比例する。

渡邉　軍港や工場がありましたからね。人手不足で半島から募集していましたから。いまでいえば季節工です。給料も向こうの一〇倍以上も高く、人気があったから、仕方がない部分もあります。

法的に保護された在日韓国人

渡邉　在日韓国人といっても、生まれも育ちも日本で韓国語をしゃべれない人たちの世代が増えました。表向きの発言はともかく感覚はほとんど日本人と変わらない。祖国といったところで、向こうに住む韓国人とは本当は一緒になれない。だいたい韓国の人たちは在日を「半日本人（パンチョッパリ）」と完全に蔑《さげす》んでいる。

日本もそうですが、アメリカにいる韓国人もどんどん国籍を変えているんです。在日韓国人も本国とは距離を置いたり、縁を切ってる人は増えている。

髙山　ただ、現実に日本人化した在日について盧泰愚《ノ・テウ》のときに問題になった。在日はふつうの在留許可でなく特別在留許可を持っている。ふつうの在留者だったら、たとえば麻薬や売春、懲役一年以上の罪を犯せば本国に強制退去させられるが、在日は法律で懲役七年以上、つまり殺人罪で裁かれた場合のみ追放される。

それでも追放措置まで行かなくて殺人犯で服役済みの在日が何十人も留まった。日本側が強制送還しようとしたら盧泰愚が彼らは日本語しかしゃべれないからと人道的処置を要請して日本側はそれを呑んだ。

つまり在日は何人殺しても国外追放にもならない。こんな不法行為が公然といまも続いている。李承晩ラインで不法に日本漁船員を拘束しておいて彼らを釈放する条件に日本に不法上陸した収容中の在日朝鮮人を在住権つきで釈放させた。朝鮮人は日本人よりも法的に重い保護を当然としてきた。そうした過去を改める必要があります。

第7章

誰が大統領になっても「反日」につける薬なし

とうとう日本人にバレた「韓国の正体」

髙山　二〇一九年の秋以降かな、新聞を読んでいての印象だけど、韓国問題が全然載らなくなってきた。産経新聞に韓国好きの黒田勝弘《くろだかつひろ》がどうでもいい話を書くくらいで。

渡邉　一言でいうと、韓国本は売れなくなったんですよ（笑）。

髙山　言論誌を眺めても、とにかく出てこない。最近、中国問題とかLGBTだとかは目立つけど、韓国の「か」の字も出てこないね。それが二〇一九年の後半くらいが境じゃないかなと思うけれど、渡邉さんはどう見ていますか？　日韓の糸が切れたころと一緒なのだろうか。

渡邉　やっぱり、日韓のパイプが切れたのと同時に、日本人の韓国に対する認識が、臨界点を超えて変化したのがそのあたりだと思うんです。

マーケティング理論では、「ランチェスターの法則」と呼ばれるものがありまして、これは媒体の認識率が一〇パーセント以下だと認知の拡大が収束し、一〇パーセントを超えると一気に過半数を超えるという経験則にもとづいた理論のことです。

たとえば、三種の神器と呼ばれた家電の普及率なんかもそうです。一〇パーセントまでに収まっていると、なかなか普及率が増えない。それが一〇パーセントを超えた瞬間に普及率が六割、七割まで急に伸びるんです。たぶん、韓国の現実を知ってしまった人の割合が、その時期に一〇パーセントを超えたんだと思いますよ。

髙山　実態を知るという意味ね。

渡邉　韓国がどういう国であるかバレてしまった。最終的なきっかけになったのは、二〇一九年七月から八月にかけての輸出管理問題でのゴタゴタだと思いますが、これで認知率一〇パーセントを超えちゃったのかなと。「韓国なんて嫌いだよ」という人が一気に増えた。

それと同時に、韓国より強大な敵である中国がクローズアップされてきた、という側面もあるかと思います。韓国は中国に比べたら、経済規模は小さいので、どうでもいい存在にランクダウンしちゃったんです。

高山　雑誌も「断捨離」した。

渡邉　韓国への関心が減って、売れないから消えていく。
先にも述べたとおり、あのゴタゴタの日韓対立は、日本から韓国への半導体材料の輸出管理強化と、貿易上の優遇措置を受けられる友好国「ホワイト国」からの除外、これに対して韓国側からGSOMIA（日韓秘密軍事情報包括保護協定）の一方的な破棄という形で激化しました。輸出管理強化の背景にはアメリカの対中国戦略もありましたが、韓国はそれさえも理解していなかった。

従軍慰安婦ビジネスも儲からなくなった

渡邉　おそらく輸出管理問題のころが、最後の韓国ブームでしたね。あの問題のやり取りで、本当に理屈が通らない国なんだ、と認識を改めた国民が多いと思います。あれで一気に終わっちゃいました。

悪化の一途をたどる日韓関係

2018年10月30日	韓国最高裁が日本企業に賠償を命じる確定判決。11月にも2件で同様の判決
2019年1月9日	日本が日韓請求権協定にもとづく政府間協議を要請。韓国は回答せず
5月1日	原告側が差し押さえ資産の売却命令を裁判所に申請
5月20日	日本が請求権協定にもとづく仲裁委員会の開催要請。韓国は回答せず
6月19日	韓国が日韓企業の出資を柱とした解決案提示。日本は拒否
7月4日	日本が半導体材料の対韓輸出管理を厳格化
8月23日	韓国が日韓軍事情報包括保護協定（GSOMIA）の破棄決定を通知
9月11日	韓国が日本の輸出管理厳格化を不当として世界貿易機関（WTO）に提訴
11月22日	韓国、GSOMIA破棄を「凍結」
2020年6月18日	韓国がWTOに紛争処理パネルの設置要請
8月4日	韓国で差し押さえ資産の現金化が可能に

髙山　徴用工問題のむし返しもあったしね。

渡邉　結局、従軍慰安婦がカネにならなくなったんですよ。「日韓慰安婦合意」のため、従軍慰安婦を国際的社会に持ち出して、これ以上カネをとることができなくなってしまったんです。

カネをとれそうな残ったテーマが徴用工しかない。

徴用工問題も、日韓基本条約や日韓請求権協定のなかで、「民間も含めて」と書かれてはいるものの具体的な表現がされてないわけです。「官民すべての……」みたいな表現になっている。これをふたたび持ち出したのは従軍慰安婦の次の道具として利用するためです。時系列的にはそうなる。

だけど、徴用工をむし返したところで、日本側はもうその手には乗らないから、韓国側は困ってしまってる。これまでは、韓国が騒いだら朝日新聞が後押しして日本政府が乗ってきてくれていた。話に乗ってくるから、ネタにもなったのに、もう話題にすらならなくなってしまった。

髙山　そもそも戦時賠償というのは、三十年戦争の講和条約で世界最初の国際条約とされるウエストファリア条約（一六四八年）以来、国が賠償するのが決まりです。民間からの搾取は禁じられている。それと、日韓条約の公文書が解禁されてわかったのは、統治時代の給料未払いなど個人補償もきちんとやっているんだけど、朴正熙が流用していた。

渡邉　日韓条約の中身は、韓国国内ではつい最近まで非公開だった。国家が賠償金（解決金）をせしめて国民には黙ってたから、慰安婦たちが日本に訴訟を起こしてくるんです。

戦後七十年以上続く日本封じ込め

髙山　第1章でも述べたけれど、日韓問題の元凶はアメリカです。南京大虐殺、マニラ一〇万人虐殺、バターン死の行進、泰緬《たいめん》鉄道酷使……日本軍人の残虐行為といわれるもののほとんどは、アメリカ製の偽りといっていいくらいでね。「日本人は残虐な民族だ」だと喧伝《けんでん》して原爆投下の蛮行から目をそらせ、日本人の気力を削いできた。韓国と中国がそれに乗じて、オレたちも残虐日本軍の被害者だとカネをゆすってきたわけです。

李承晩《イ・スンマン》以来の韓国の反日路線はアメリカが仕掛けたものだけど、それが途切れそうになったときに、慰安婦問題がメインになってきた。朝日新聞が「慰安婦強制連行」という吉田清治《せいじ》の嘘《うそ》を取り上げて世界に拡散した。国務長官だったヒラリー・クリントンが「コンフォート・ウーマン（慰安婦）」という英語の呼称を「セックス・スレイブ（性奴隷）」に変更しろといったという話もあった。それほどまでに、情報戦においても、アメリカの日本封じ込め方針が行き届いてきた。

こういうことが、戦後七十年以上続いてきたんだけど、渡邉さんのいうとおり、韓国の存在意義の地盤沈下が起きてきた。日本は封印すべき脅威ではないこともわかってきたし、もっと悪辣な中国も出てきた。ついでに慰安婦問題はどうも怪しい、と疑問視するまともな日本人も増えてきた。

韓国は自らの存在価値を高めるためもあって、北の核の危機を必要以上に煽《あお》るわけです。やれ「ソウルが火の海になる」「日本にも核ミサイルが飛んでいくぞ」と騒ぐ。米中対立が激化すれば、その間に入ろうとする。こうした政治的な売りこみ努力を果てしなくやっている。しかしまったく意味がない。

気がつけば韓国を社説で取り上げるのは朝日だけになっていた（笑）。

外圧を利用し徴用工で軍艦島批判

高山　世界文化遺産をめぐる長崎の軍艦島（端島《はしま》炭坑）の件で、ユネスコ（国連教育科学文化機関）が難癖をつけてきたね。日本政府の説明が不十分だと。これも韓国の「政治工作」です。

ユネスコからドイツ人の専門家が「産業遺産情報センター」に視察にきたけど、どんなに説明しても、ユネスコ側は聞く耳をもたない。なぜならドイツ人は韓国に負けないくらい日本嫌いだから韓国ロビー活動に悦《よろこ》んで乗っかった。韓国が主張するような、戦時徴用された朝鮮人労働者への非人道的な待遇なんて、当時の記録からも裏付けに乏しい。それから差別的な対応はなかった、という元島民の証言もあるのに。ドイツ人は故意に目をふさいだ。ヒトラーの白人優越意識まる出しといってもいい。

「産経新聞」（二〇二二年七月二十二日付）によれば、センター長の加藤康子《かとうこうこ》さんが、「事実関係も確認できないのに、（韓国が主張するような）元島民の人権を踏みにじる展示ができるわけがない」と説明しても「（朝鮮半島出身の）犠牲者の展示がない」という主張の繰り返しだったそうだよ。

渡邉　誤解されているのは、軍艦島が世界遺産じゃないんですね。これは、「明治日本の産業革命遺産」です。明治以降のもので、いまも継続してある産業遺産の一部として軍艦島がある。さらに軍艦島にいた労働者は募集工です。たんに応募して参加した人であって、徴用された人はゼロなんです。

そもそも戦争末期に徴用工がいたところは別の工場で、たとえば広島の呉《くれ》の造船所とかには確かにいました。だから原爆の被害者に徴用工はいても、軍艦島にはそもそもいない。

そのあたりを徹底的に説明できるように、加藤康子《こうこ》さんは準備している。分厚い電話帳二〇〜三〇冊分くらいの資料をそろえている。どういう角度から相手がきても科学的、合理的に論破できる状態です。韓国は外圧を使ってやろうとしているけど、英文、日本文など三カ国か四カ国に翻訳されて、必要であればいつでも提出できる状況になっている。

髙山　ドイツ人は正しいことより、政治的であることを選んだ。日本人はあまり知らないけど、ドイツ人ぐらい日本嫌いな国民はない。ドイツに住む川口マーン惠美さんがいってたけど、ドイツではスポーツでも日本が出てくると、対戦相手がどこの国だろうと、そっちを応援する癖がある。昔、青島《チンタオ》で日本軍に敗れた。最近はフォルクスワーゲンの排ガスのインチキを日本製品で見破られた。

やっかいな交渉は外務省より経産省

髙山　軍艦島には私も取材に行った。朝鮮人専用の、朝鮮女の売春婦のいる遊郭まであった。吉田屋という独身の朝鮮人のための女郎屋でね。虐待されたなんて、よくいえる。そういうことを朝日新聞はいっさい無視する。そういう文化人的新聞が韓国人に嘘をつかせるように仕向けている。

渡邉　自分たちの主張にあった、ろくでもない識者しか使いませんから。

髙山　最初に遺産登録するときに、外務省が韓国に配慮して、朝鮮労働者がどうかとか余計な一文を付け加えますといったこともこじれた原因かな。

渡邉　産業遺産はもともと経済産業省が主導でやっているんです。外務省が対応するのでなく、経産省をカウンターパートにすればいい。ケンカ上等の経産職員にやらせればいいですよ。そうしたら負けない。そう私は提案しています。

経産省はロジックの立て方でも、外務省とレベルが違う。説明を徹底的にできる経産職員にやらせればいい。だって日米構造協議でアメリカとの交渉をずっとやってきた連中ですから。英語で戦えるのはいくらでもいるから、面倒なのは全部経産省にまわせと。

髙山　慰安婦もそうだけど、事実を歪曲《わいきょく》して因縁をつけるのは彼の国の習性のようになっている。ずっと、付き合ってやってきたけど、もう誰も相手にしないでしょ。相手したくないよ。

ニュース源をロンダリングする朝日のマッチポンプ

高山　朝日の影響力は減ったとはいえ、いまだテレビ番組で報じられる資料の大半は、朝日の記事や社説をベースにしている。テレビで拡散するニュースの大本は朝日を「まともな新聞」と思いこんでいる浅はかなテレビジャーナリストたちだといっていい。

渡邉　結局。マッチポンプですよ。ニューヨーク・タイムズや韓国の東亜日報東京支局は、築地の朝日新聞本社ビルにある。日本で記事にし、米国でそれを配信し、今度は米国の論調として日本に紹介してロンダリングする。ソースロンダリング。

高山　その例で思い出すのが弁護士の猿田佐世の話です。猿田は福島瑞穂の亭主、海渡《かいど》雄一弁護士のグループなんだけど、アメリカの連邦議会でロビー活動をしていると称している。最近は「日本が軽水炉から出たプルトニウムを四〇トンも溜め込んでいる。原爆六〇〇〇発分になる」ともっともらしく告げ口した。しかしアメリカの議員もバカばかりじゃない。軽水炉から出たプルトニウムは燃えないプルトニウム２４０の比率が高いから核兵器には絶対にならない。軽水炉から出たプルトニウムは燃料以外に使い道がない。

こんなことはアメリカの議員には常識です。だからこそ一九九〇年代にＫＥＤＯ（朝鮮半島エネルギー開発機構）は北朝鮮に軽水炉をふたつ建てる提案をした。北朝鮮の持つ原子炉、黒鉛減速炉は天然ウランを燃やすと、すぐ兵器用のプルトニウム２３９が大量に取れる。ＫＥＤＯはそれをやめさせ、その代わりに韓国製の軽水炉二基をくれてやることになっていた。北が約束を守らずに実現はしなかったが、もし猿田がいうように軽水炉のプルトニウムが核兵器になるんだったら北は大喜《よろこ》びで受け取っただろうに。

その同じタイプの軽水炉から出たプルトニウムが日本で溜まっていると、猿田が米国に行って騒いだ嘘を朝日が真顔で伝える。

日本は「これで６０００発の核ができる」って社説まで書いている。その話を朝日は五度くらい書いていた。そのくらい外圧と打ち返しの手口を使っていた。そしたらその猿田佐世が、二一年七月二十一日の朝日新聞のオピニオン面に「『外圧』の正体」という特集のトップバッターで登場して、五輪とコロナに関するコメントが出ていた。自分たちで悪どい嘘ネタを捏《こ》ねて外圧記事をつくっている。その張本人だよ。

渡邉　私もその記事は読みました。いま外信をダイレクトに読めるので、ソースロンダリングもすっかりネタバレしている。徴用工問題も朝日新聞が騒いでいるだけです。「朝日の反対が正解」なのが、最近ではもう一般的になってきた。

朝日新聞の本業は不動産ビジネス、副業は新聞社

髙山　朝日は、いまどれだけ部数落ちてるの？　二〇二一年三月期の連結決算は四四一億円の赤字が出たといってたけど。

渡邉　正確な実売数はわかりませんが、日本ABC協会のデータだと五〇〇万部を割った。赤字の原因は、不動産が悪かったんです。「副業の新聞業」はどうでもいい（笑）。

髙山　それは今回一番いい話だね（笑）。

渡邉　朝日だけの話ではないですが、メディアは駅前などの一等地に土地や貸しビルを持っている。そして、各社の持つコンテンツなどを利用してイベントを行い、人を集めていた。新聞ではないですが、たとえばテレビ朝日は六本木ヒルズでテレ朝の持つキャラクターなどを利用してイベントをやっていたわけです。ですから、それを目当てに人が集まる。だから、周囲のテナントより高くても借り手がいた。しかし、イベントができないとなれば別であり、逆に家賃が高い分、すぐに出て行ってしまうのです。歯抜けになれば街としての魅力も低下する。

他にも五十〜六十歳向けの出会い系ビジネスサイトも運営していたけど失敗して、別会社に売却しました。あと最近の事業だと朝日新聞の宅配所を使って、野菜の宅配なども手掛けてたんですけど、それもあんまりうまくいってないようです。

高山　オリンピックをやめろといっておきながら、夏の甲子園には観客というか関係者を入れた。

新型コロナが韓国と朝日新聞の消滅を加速化させる

高山　私がアメリカ支局にいた一九九四〜一九九五年ころ、新聞業界でも電子化の話がやたらあった。でもロサンゼルスでは、宅配が一番元気よかった。住んでいたのは五軒長屋みたいなタウンハウスだったけど、全戸で新聞を取っていた。早朝、バーンって、新聞をドアにぶつけていく音を覚えている。

週末は新聞は休みで日曜版がスーパーマーケットで売っている。テレビプログラムも入っていたり、ロサンゼルスのうまいもの五〇店だとかあった。あれをつくるのは大変だったと思ったね。

それで、アメリカは思ったより日本と変わってないなという印象だった。マンションなんかもまとめて配るようなシステムになってた。日本だけだよ、個別に配るのは。都会のマンションのオートロック化に新聞協会かなんかがもっと早く対策をやっておけばよかった。

渡邉　田舎は過疎化で販売店当たりの販売エリアがどんどん広がってる。だから、地方では宅配をやめるところが出てます。毎日新聞の専売店は大半が解消されている。あとは併売対応です。産経新聞は日経や朝日と一緒に、毎日は日経や日本工業新聞と一緒に配達しています。でも併売モデルも割が合わなくなってくる。

髙山　朝日と産経が併売のケースも結構多かった。現役のころ朝日の批判記事を書いたら販売店連合会の方から問題にされたこともあった（笑）。

いずれにしても朝日はだいぶ落ちてきた。

渡邉　やはり「ランチェスターの法則」でいう一〇パーセントを切ってしまったのでしょう。一〇パーセントを割り込むと、とたんに情報の普及も一〇パーセント未満で収斂《しゅうれん》しちゃう。日本の全世帯が約五〇〇〇万世帯ですから、五〇〇〇万部で一〇パーセント。実売部数を六割とすると三〇〇万部前後。一家で一部として、三～四人で読む場合もあるけれど、ほとんどの場合読んでない。

若い人ほど新聞を読まないし、オールドスタイルの喫茶店も減って、ドトールやスタバのようなものばかりになってきた。週刊誌や新聞が置いてあるような飲食店で読み回す習慣がなくなっちゃったんですよね。さらにコロナ禍でお店自体も減ってしまった。

髙山　新型コロナウイルスは、いろんなものの「断捨離」をずいぶん進めたんだね。

渡邉　韓国の消滅と朝日新聞の消滅は類似していますね。誰かが騒いで、それを国内で報じるから相手はいい気になってさらに騒ぐ。

左派のわけのわからないデモなんて、取材に行かなかったら誰もやらないですよ。マスコミ報道で取り上げられないのに騒いでたって、バカみたいですから。国会議事堂前の反原発デモだって、もう消えちゃったでしょ。取材が減れば減るほどデモは立ち消えしていく。

来年の大統領選でも彼の国は変わらない

渡邉　来年（二〇二二年）三月の大統領選で韓国が新大統領になれば、日韓関係が改善されるのではないか、と期待する声があるけどしょせん幻想です。

最大野党「国民の力」の若き党首・李俊錫《イ・ジュンソク》はまだ三十六歳で四十歳にならないと出馬できない。

与党「共に民主党」の候補は京畿道《キョンギド》知事の李在明《イ・ジェミョン》と元首相の李洛淵《イ・ナギョン》というんだけど、李在明はかつて「日本は敵性国家だ。軍事大国化した場合、最初の攻撃対象となるのは朝鮮半島だ」とフェイスブックに投稿していた人ですよ。慰安婦合意も無効だと唱え、日韓軍事情報包括保護協定（GSOMIA）にも反対した。

李洛淵は「知日派」といわれているけど、東京五輪公式ホームページの日本地図に竹島が含まれていることを批判して、表記をただちに削除しなければ韓国は「五輪ボイコット」するとか書いてた人です。

保守系では、文在寅政権と対立し検事総長を辞任した尹錫悦《ユン・ソンニョル》と、同じように文政権と対立して六月に監査院長を辞職した崔在亨《チェ・ジェヒョン》。この二人は「国民の力」に入党した。

高山　元検事総長は支持率を伸ばしてるみたいだね。

渡邉　直近の支持率だと三二パーセントを超えて、李在明を抜いています。ただ世論なんて一気に変わるから、わかりません。

いまの状況では与党が政権を握ることは不可能ではないかといわれており、そうなると文在寅は退任後逮捕という王道パターンに陥る可能性が高い。

髙山　だいたい文在寅の有力な後釜とされていた一人に、セクハラで自殺したソウル市長がいた。あの朴元淳《パク・ウォンスン》は松井やより（元朝日新聞編集委員）らが主催した慰安婦問題で昭和天皇を断罪する女性国際戦犯法廷で検事役をやった男だ。日本から見れば論外の男だった。人材はほとんど払底していた。少しでも良くなる可能性があるとしたら、もう一度野党からなんだろうけど、党首が若くても政党自体老人が多いし。

渡邉　結局、保守派といったって、日本統治下で教育を受けた朴正熙《パク・チョンヒ》の娘の朴槿恵《パク・クネ》にしても、大阪府出身で日本での通名は月山明博だった李明博《イ・ミョンバク》にしても、当初は日本に対して友好的な政策をとるのではないかと期待された。けれど、フタを開けてみれば反日大統領でしょう。韓国の反日は手がつけられないほど末期症状だから、「親日派」こそ反日政策をとらないと目の敵にされる。朴槿恵は日本に対し「千年の恨み」といったし、李明博も末期には天皇陛下に韓国にきて土下座しろとまで発言した。彼の国では大統領が退任前に反日をやっておかないと、自分に火の粉がふりかかるから。

髙山　それでもパクられちゃった。

渡邉　だから誰が大統領になっても反日姿勢に変わりはないでしょうね。

テロリストを慕う者が大統領選に出馬か

高山　「共に民主党」のほうは、「親日派を処分しろ」とかなんとかやっているけど、野党「国民の力」で元検察総長の尹錫悦は、尹奉吉《ユン・ポンギル》というテロリストと同姓だというのを誇りにしている。その尹奉吉の孫娘で国会議員をしている尹柱卿《ユン・チュギョン》と親しく手を取り合ったりしてるからおかしい。

尹奉吉が何者かというと、戦前、上海の日本人租界、虹口《ホンキュウ》公園で開かれた天長節の式典に爆弾を投げ込んで、重光葵《しげみつまもる》の片脚を奪い、白川義則《しらかわよしのり》大将を死亡させたテロリストだ（一九三二年、上海天長節爆弾事件）。最終的には日本の金沢刑務所で銃殺された。なんと金沢にはすごくりっぱな、民団がつくった尹奉吉の大理石づくりの顕彰墓標が建っている。コロナの前まで韓国人を乗せた観光バスがいっぱいやってきていた。

渡邉　一〇〇メートルぐらいの銅像でも建てればいいんじゃないですか（笑）。あるいは慰安婦の立像のそばに空いた椅子があるから、そこに座らせておいたらいい。喜ぶかもしれない。

髙山　反日テロリストと同姓というのを誇りにするのが出てくる始末では、次の大統領選に希望するものなどなにもありません。文在寅政権をそのまま継続してもらったほうが、まだはっきりしていていいのでは。むしろ野党保守派が立って「日韓議員連盟」みたいな中途半端な連中が、勢いづくのも問題だ。

渡邉　大統領選については韓国国民が決めることだし、日本にとっては保守系候補が勝とうが、左派系候補が勝とうが、もう影響力はない。これまでは、ロッテ会長の秘書が李明博の秘書をやっていたように、財閥のトップが日韓の裏パイプとして動いていましたが、そうした民間パイプが切れてしまった。日本側もこれだけ醒《さ》めてしまうと、国民世論がついて行かないでしょう。

誰が大統領になっても、結局は反日に振れる。程度の違いだけで変わりません。「国民請願制度」の弊害で、国民からのアクションがあれば、それにあわせて大統領府は政策を変えなきゃいけない。

韓国国民の立場になって考えてみれば、親日家、知日家の大統領を誰が望むのかという話です。日本と仲良くすることに、はたしてどんなメリットがあるのか。

髙山　彼らから見てメリットがあるのか、という視点は重要だね。「歴史を見直せ」と騒ぐけど、事実を掘り下げて、歴史を知れば知るほど韓国は自分の負けを認めることになる。前に触れた松本厚治の労作を読むと、それがいやというほどよくわかるよ。

世代交代で深まる日台関係、薄れる日韓関係

髙山　反日世代が高齢化して、今の二十代、三十代が中心になれば、もうちょっとましになるかと期待する向きもあるようだけど、それも無理でしょう。政治的主張は御法度のスポーツの試合でさえ「独島（竹島）は俺たちのものだ」と選手自ら煽っている。旭日旗にイチャモンをつけているのも、いまの若い世代だからね。

旭日旗批判といえば、東京五輪でも韓国は「ボルダリング」の第三課題の形が、旭日旗を形象化していると騒いで、それが韓国全体に広まった。「旭日旗をあしらったデザイン

で韓国を侮辱している」と。

渡邉　同感です。戦前を知っている世代の方が健在のときでさえ、反日ですからね。台湾の場合、李登輝《りとうき》総統や『自由時報』の会長、呉阿明《ごあめい》さんなど、日本統治下で教育を受けた世代が日台間をつなぐ太いパイプでした。こうした世代が引退した後も、日台間では世代交代がうまく進んでいる。一九七二年の国交断絶後も、自民党とのパイプはずっとつながっていました。現に、安倍前首相と民進党の蔡英文《さいえいぶん》さんは頻繁に連絡を取り合っている。現政権では岸信夫国防長官がそうです。災害が起きれば日台両国は真っ先に手を差し伸べる。

さて日韓関係にそれほどのパイプがあるのか、という話です。日韓議員連盟も、本来であれば森喜朗さんが仕切っていたはず。朴正煕の時代から関係があって、朴槿恵は森さんの膝の上で遊んでたっていいますから。その森さんですら、まったく動いてない。もう韓国に興味ないのでしょう、朴槿恵でさえ反日に走ったからね。

髙山　飼い犬に嚙《か》まれたようなものだ。

ＧＳＯＭＩＡの韓国側からの一方的な破棄もそうだけど、日韓で何かが起こったときに、「まぁ、まぁ」と抑えていたのが日本で一人も出なかった。

渡邉　政治家同士のパイプがないから対話しようにもできない。台湾となら何か問題が起きたときに、岸信夫さんが動くし、自民党の若手議員でも動ける人が多い。というより、問題が表面化する前に両国の政治家が調整してそれを潰《つぶ》しちゃう。台湾とはそれが機能している。

既述のとおり、慰安婦問題まではまだマシでしたが、徴用工の問題で財界人脈まで潰してしまった。立憲民主党（旧・民主党）には韓国と親しい人物がいるかもしれないけれど、そういう人は韓国のいいなりになるだけで、じつは韓国にとってもメリットは薄い。パイプというのは、日本側の立場で相手と交渉することであって、相手のいいなりになるのは有害無益なんです。お互い母国の立場を代表して、国益を背負って交渉する人材が必要なんですね。

アメリカとの関係では、人脈はいくらでもあります。ＣＳＩＳなどの有力シンクタンクで勉強会を開いていたりして交流が密にある。

本来、韓国と一番親しくすべきなのは、自衛隊なんです。日韓合同軍事訓練などで、常に情報を交換してなくちゃいけない。それが軍事訓練どころかレーザー照射など敵対行為をとる始末でしょう。在韓米軍、韓国軍、自衛隊の三カ国合同訓練もできない。GSOMIAさえ破棄しようとする。ですから破棄を決定した同日には、アメリカ国務省が強く批判した。

こんな状況でどうやって交渉できるのかと。どうやら日本が民主党に政権交代したころから（二〇〇九年）、人脈が切れ始めたようです。

盧武鉉《ノ・ムヒョン》政権のときに「親日法」という法律ができたことはすでに述べました。調査委員会をつくって、日本からの支援を受けて発展した「親日財産」だと認定されると、遡《そ》及《きゅう》的に資産を没収できるという、ひどい法律をつくってしまったのです。

そのため、日本統治下世代といわれる人脈、日本と韓国の民間パイプの第一世代がぶち切れ始め、さらに日韓関係が悪化した。

最後に残っていたふたつの民間パイプが、ロッテとサムスンだった。ロッテに関しては相続問題、兄弟間でもめてそれどころではない。

もうひとつ残っている会社がサムスンなのですが、サムスンの元会長の李健熙《イ・ゴンヒ》は急性心筋梗塞《こうそく》で、植物状態のまま二〇二〇年に亡くなっている。李健熙は早稲田大学に留学していた。サムスン電子の副会長、李在鎔《イ・ジェヨン》は贈賄罪などで懲役二年六カ月の実刑判決を受け刑務所に入れられていたのが、二〇二一年八月になってようやく仮釈放された。このふたつのパイプが切れると、日本と韓国の関係は終わる。
李在鎔は慶応大学に留学していて、日本語も達者。現に、日韓で輸出管理問題が起きて韓国がホワイト国をはずされたときに、すぐに飛んできたのが李在鎔だった。政府レベルで動くことができないので、民間パイプという形で動いた。この二人が最後のパイプだったんだけど、いまはもう機能不全になっています。

髙山　政界、官界のつながりもない。結局彼らが自ら潰しちゃったんですよ。それにしても「親日法」はひどかった。日本と協力していると見なされれば財産没収だ。だからみんな口をつぐんじゃったわけですよ。

日本にとって韓国は二百分の一でしかない

渡邉　かつてはヤクザの大物が日韓の裏パイプとなることもあった。裏社会には在日の人も多いけど、韓国にロイヤリティ、忠誠心を持つ人はいまや少ないでしょう。韓国に里帰りしようとする人もいない。帰る人はもうとっくに帰っちゃってるだろうし。在日三世ともなれば、韓国に帰ったところで何のメリットもない。

笹川良一や瀬島龍三など日韓をつなぐフィクサーと呼ばれる黒幕たちも亡くなられた。

髙山 そう考えると、韓国側のほうから断捨離してくれたんだ。それを、日本側からとりつくろう必要はない。

渡邉 本当に有難いことです。世界には約二百の国と地域があって、韓国はそのうちのひとつでしかない、ということを日本人に気づかせてくれた。韓国が切ってくれればくれるほど、日本における韓国の価値は低下していく。サプライチェーンとしても脱中国は容易ではないけれど、韓国の代替先はいくらでもある。

韓国には強みがなくて、すぐに切れても問題ない。だけど、敵に回すと面倒だから、そのままにしておこうというだけの話です。

韓国にとっては、日本は巨大なお客さんかもしれないけれど、日本にとってたくさんある国の内のひとつ、そういうところまで存在感が低下したのが現状です。

ちなみに韓国の政府系銀行は財務状況も悪くて信用度が低い。そのため、韓国の銀行が発行する「信用状」（＝貿易用の小切手）を日本のメガバンクが保証する枠を与えて、間接的に支援している状態です。いわば生殺与奪の権を日本は握っている。

保守になろうが、革新になろうが、韓国政権が反日であるのは変わらない。

保守政権になれば、対米・対中スタンスが若干変化するかもしれない。実際には、アメリカはもう韓国をかまっている余裕がない。韓国は、アメリカを味方として選ぶのか、中国を味方として選ぶのかの二者択一を迫られるだけです。でもこれは日本も同じです。

高山　文在寅が、いま必死にかまってくれのサインを出している。「私を放っておくと、北に呑み込まれますよ」と。勝手にやればいい。

「礼儀正しく無視する」のが正しい付き合い方

渡邉　三十年くらい前までは、わかったうえで、あえて反日をやっていたと思うんですよ。カネになることがわかって反日運動をやってる人が日韓双方にいましたから。表で騒いで、裏に回れば手を結ぶと。

中国の外相の王毅《おうき》も、中国は攻撃的な「戦狼外交」をしているけれど、王毅は日本語ペラペラで、二人きりになると、日本語ですり寄ってくるそうです。そのほうが質《たち》が悪いんだけど、「私は本心でこんなこといってないんだよ」とこぼしたという有名な話もある。

韓国の政治家も三十年前までは国内向けのメッセージと日本側に出すメッセージも、分けて出していた。たとえ反日発言があっても、日本側は韓国の国内向けだと我慢していたわけです。

でも、もう我慢する必要もないという状況に変わってしまった。ですから「礼儀正しく無視する」のが韓国との付き合い方の正解なんです。私の本を読んでいただいたある閣僚経験者から礼状をいただきまして、その方が「礼儀正しく無視するのが、彼の国との正しい付き合い方でしょう」と書かれていました。

韓国の立場に立てば、日本と付き合うのに何のメリットがあるのか。また日本にとってはどうなのか。韓国人が欲しいものは、残念ながらいまの日本にはもうないでしょう。なぜかというと、簡単に技術移転できるものがないからです。かつての白物家電などは組み立てるだけなので容易だった。日本の製造業の裾野《すその》は広くて、特殊な部品や材料など製品の根幹に関わる特許技術などは、簡単に韓国に持っていけるようなものじゃない。

今日、日本国内に残っているオンリーワンのものは、まだまだたくさんあって、かなり厳しくなったとはいえ、しばらく大丈夫でしょう。日本から韓国に投下できるものは、せいぜいお金くらい。いま韓国は雇用が激減して失業率も高く、日本で就職したがっている人が多いほどです。

高山　第二の徴用工問題になりつつある（笑）。

海上保安庁も腹に据えかねた

渡邉　イデオロギーや歴史観で考えると難しくなる。けれど銭金に置き換えて、なにが得するか損するかと考えると、韓国側から日本に欲しいものはないと思うんです。そして日本側からも韓国に欲しいものはない。

韓国に行かないと食べられないものも少ない。台湾ならマンゴーとか魅力的な物産品があるけど韓国にはない。中華料理も魅力的なものが多いけど、韓国料理はどうなのか。自分たちには立派なものがあると勘違いしているようだけれど。

高山　東京五輪前に、文在寅が来日して首脳会談をする話もあった。向こうは無理をいえば日本が折れてくるはずだと思って交渉してたけれど、日本からはナシのツブテだった。それで中止になった。

向こうが首脳会談をしたいというのなら、「易《えき》地《ち》聘《へい》礼《れい》」で対馬あたりで相手をすればいい。江戸の最後の朝鮮通信使に対してそうしたように、敬して遠ざける。

渡邉　意味もないし、興味もない。その意趣返しなのか、韓国の五輪中継では、ＭＢＣが各国を紹介するときに、いや味なイメージを持たせる映像を流して問題になった。

髙山　日本はこれまで、「まあ、そこはなんとか」と、堪え難きを堪えて向こうの面子《メンツ》を立ててきた。韓国を相手にしているどころでなくなったのは、対中国問題であり、対ロシア問題です。日本はいつもの「遺憾に思います」じゃなくて「おまえ、勝手に盗んだ国土は返せよ」と反論できるようになるためのモデルケースになることを期待します。

日本の戦後外交は、軍隊がないから、外交交渉のみでなんとかやってきた。けれど、韓国ぐらいの国力だったらいまの自衛隊の戦力で十分だし、韓国が本気で日本と戦うとも思えない。いざドンパチ始まっても、自衛隊は十分対応できるって踏んでいる。政治家もそんなふうに認識を改めてきたんじゃないのかな。

だいぶ前の話なんだけど、海上保安庁の巡視船が二隻、海図をつくりに竹島に出ようとしたことがあった。韓国はそれを迎え撃つぞと戦闘機まで準備させたんだ。境港にあった巡視船の乗員は「それでも行く」と腹を据えていた。結局、上から止められて行けなかった。乗員は本気で口惜しがった。それくらいの気概をみな持っている。彼らは韓国には頭にきている。これが自衛隊になればなおさら。二〇一八年のレーザー照射事件にしても当てられたP−1哨戒機はまったくひるまずに作業していたというし。

終章

韓国はどこへ消えたのか

われわれが韓国を批判するようになった理由

髙山　戦前の日本統治を評価した九十五歳のお爺さんが、韓国の公園で若者に撲殺された事件（二〇一三年）があったでしょう。韓国は儒教文化で敬老の精神があるというのに。

韓国に行ったのはじつは一回半しかない。七〇年代の後半だった。衛生状態が気になるから、ソウルに行く前に外務省に資料を請求したら、回虫保有率は五〇パーセントを少し切る状況だった。だから生ものは食べないようにと注意書きがあった。

向こうでセマウル号という列車で釜山まで行ったときに、年をとった車掌さんに食堂車があるか聞いたら「日本人か」と聞かれて、とても親切にしてもらったことがある。これが唯一韓国でのいい印象です。妓生《キーセン》もイマイチだった。

一番びっくりしたのは安重根《アン・ジュングン》の記念館に行ったときに、日本語で話していたら周りにいた韓国人たちにものすごく睨《にら》みつけられた。

二度目はトランジットでソウルに立ち寄った。ソウル支局長の黒田勝弘からいろいろ話を聞いた。その二回しか渡韓がない。渡邉さんはどうですか？

渡邉　そもそも行ったことがない。

アジア通貨危機のころ、日本で働く韓国の方と仕事でお付き合いしていたわけですが、親しくなった韓国人に他の韓国人は危ないから近づくなといわれていました。

髙山　韓国に進出した大島紬の経営者に話を聞いたら「全然ダメ」だといっていた。大島紬は一本一本精密にやらなければならないのに、平気で横糸を飛ばす。注意すると「ケンチャナヨ」で、細かいことは気にするなという。中国にも似たような言葉で「没法子（メイファーズ）」というのがあるけど、アジア大陸広しといえども、こういう言葉を使わないのは日本とイラン（ペルシャ）だけだね。

渡邉　縫製技術はベトナムも質が高くてキレイですよ。

韓国のことは、好きだとか嫌いだとかいうよりも日本にメリットがなかったら、付き合う必要はないでしょう。

過去の歴史をかんがみたとき、日本にとって禍《わざわい》でしかない。韓国統治では、膨大な資本投下したけど、敗戦して全部放棄して帰ってきた。さらに払わなくてもいい「解決金」で資金を投下し、経済的な自立ができるところまで持ち込んだ。これさえもアジア通貨危機で全部なくなっちゃったわけです。そのあとに捏造《ねつぞう》された賠償問題を持ち出して、さらにたかりにきた。こんな国と付き合ってなんのメリットあるのって、それだけです。

髙山　東大名誉教授の姜尚中《カン・サンジュン》氏など、そこまで日本が憎らしいんだったら日本から出ていけばいいのにね。

渡邉　出ていく出ていかないはその人の自由ですが、その土地に骨を埋めるつもりがないなら、永住しても意味がないでしょう。外国だって二世とか三世になれば基本的に永住権は消えていくのが世界でもふつうのことなので。

韓国を揶揄したら、「殺」と書いた手紙が届いた

髙山　世界には魅力的な国がたくさんあるから、韓国にはもともとあまり興味がなかった。

新聞社をやめて帝京大学に行って「週刊新潮」にコラム書き始めたころだった。韓国のことを、ちょっと批判したら、研究室に何度も電話がかかってきた。タイミングが合わな

くて、ようやく電話に出たら、「何度、電話掛けさせるんだ！」とすごい剣幕で。「あんな失礼なことを韓国に書いていいのか。民団の幹部と知り合いだから、いいつけるぞ」と脅すから、「どうぞ」と。そしたら二〜三日して赤い字で「殺」と書かれた手紙が届いた。韓国人に代わって韓国を批判するコラムニストに天誅《てんちゅう》を下すという意味で。この二件は、日本人からのいやがらせだったけど、なんで日本人がここまで過敏に反応するのかと思いました。

韓国問題を書いて、そんな反応があったから、逆にどうなってるんだと興味をそそられたんです。

いろいろ調べていることのついでに朝鮮通信使のことを調べたら、あれは集団タカリだった。それで新井白石《はくせき》も怒った。経費を半分にしろと命令し、ついには江戸に来なくていい。対馬で対応すればいいと。そうしたら、対馬ではたかれないからそれっきり来なくなった。一回の朝鮮通信使で四〇〇人くらいがタカリに来る。室町時代に三回訪日したけれど、それが通信使から除外されているのは、そのときはちゃんと勉強しに来ていたからだ。朝鮮が文化的に劣り、日本に教えを乞うた事実はどうしても隠したかったのだろう。

その室町時代に来た朝鮮通信使が日本の乞食は銭を乞うと驚きをもって記録している。当時の朝鮮はずっと物々交換の時代で、貨幣や商いなど知らなかったからだ。

この三回の通信使は、一生懸命、学ぼうと思ってやってきて、水車のつくり方などは三度も聞いて帰っていった。しかし明治になって、朝鮮に行ってみたら水車も見えない。技術を疎《うと》んじる思想がせっかく学んだことすら無駄にしてしまった。漢江の奇跡などあり得ようもないことはこれでもわかる。

そのうち、筑波大教授の古田博司さんと知り合った。奥さんは朝鮮の人なんだけれど、口を極めて奥さんの母国を罵《ののし》るからそこまでいわなくてもいいだろうといったら「私がいわなくて誰が言う」と（笑）。それで朝鮮のひどい実態をいろいろと教えてもらった。

対馬海峡でわかった朝鮮半島の意義

高山　東北大の教授で美術史家の田中英道《ひでみち》氏と一緒に対馬に行ったことがある。対馬には朝鮮半島の文化的影響なんてまったくないことがわかって、あれはけっこう大きな収穫だった。朝鮮半島と対峙《たいじ》している対馬には、月読尊《つくよみのみこと》が祀《まつ》られて、大昔の社寺がそのまま残っている。本当に原日本の姿がそのまま継続していた感じだった。産経記者の阿比留瑠比《あびるるい》の阿比留という姓もあって、阿比留の祖先がこもった防人《さきもり》の山も残っていた。日本の原点みたいなところだった。

もうひとつ勉強になったのは、対馬の北に広がる対馬海峡の意味を知ったことです。朝鮮半島があるお陰で、海の幅が狭くなってものすごい激流になる。地元の人に聞いたら、すぐそこまで来た朝鮮の船が波にのまれていったというような話がいくらでもある。つい最近も対馬漁協の漁船が五隻も呑み込まれて全員犠牲になった。

それまでは、朝鮮半島なんてなければいいのにと思っていたんだけれど、考えを改めた。もしなければ島の向こうは広い海で、要らざる大陸人たちが、わんさか押しかけてきたわけだ。対馬海流があるお陰で、日本に渡ることを困難にした。対馬海峡を肌で知って、これが半島の存在意義だなと腑《ふ》に落ちたものです。

あそこにも海上自衛隊の基地があるんだけれど、地元の話を聞くと本当に面白い。対馬海峡があるお陰で、日本列島が大陸から守られていることがよくわかりました。

渡邉　対馬の自衛隊基地の隣には真珠の養殖場があります。もともとは田崎真珠の養殖場で、売却先が太陽真珠というマルハニチロの子会社だったんです。日本企業に売却したはずが転売されて、いつのまにか韓国商社のものになってしまった。それが問題になっています。

高山　朝鮮を知るには、朝鮮通信使の言動を見るのがいちばんわかりやすい。朝鮮通信使を通してさも半島からすばらしい文化が渡ってきたというような説明は、まったくのインチキ。日本の歴史も文化も朝鮮からの渡来だというのが、当たり前にされてきた。そんなことはないと田中英道氏も学者として断言していた。

渡邉　朝日新聞が「カムジャタン」というジャガイモを入れた韓国の鍋料理を紹介したときに、「1500年の歴史がある」と書いていた。ジャガイモに千五百年も歴史あるわけねーだろ！　って、それも唐辛子味で（笑）。唐辛子だって江戸時代に日本から渡っていたものだし。

韓国起源説の面白さ

高山　朝霞《あさか》の自衛隊に行くと、各国武官が表敬の記念に献呈したものが陳列してある。驚いたことに韓国の武官は日本刀を置いていった。日本刀は韓国オリジナルだと主張している（笑）。

渡邉　彼ら何でも韓国を起源にしちゃいますから。イタリア人のピザはもともと韓国のチヂミがベースだぞと。その場に居合わせたアメリカ人もイタリア人も「Ｎｏ」といって、ブチ切れた。すると韓国人が「realy?」って驚いたらしい（笑）。

韓国の売春婦が海外に出稼ぎするケースは多いけど、東欧の美人さんたち相手では国際競争力がない。鶯谷《うぐいすだに》とか新大久保、ニューヨークとかロスのマッサージパーラーに慰安婦像を置いて、売春宿のマークにしたら、慰安婦問題も解決するかも。酷い話してる（笑）。

髙山　この前、アトランタの淫売窟で乱射事件があって、撃たれた被害者は半分以上がコリアンだった。コリアンマッサージパーラー（売春窟）。彼女らは昔から韓国の外貨の稼ぎ頭だった。売春婦はこうやって輸出品目としても名をなしているわけだ。

日本では売れなかった韓国自動車

渡邉　真面目な話に戻しますと、国家と国家が付き合うのはビジネスと一緒です。相手の国から得るもの、そしてこちらの国から提供できるものは何があるかと。このバーターで考えていくしかない。そうでないと継続できなくなる。民間レベルでも、国家レベルでも同じことです。

たとえば、台湾だったらTSMCの半導体技術。これはアメリカも日本も欲しがっている。安全保障を含めて、お互い利害が一致するわけです。安倍さんと蔡さんは「インターネットでイチャつきあっている」といわれるほど仲がいい。

タイなら安価な労働力、インドネシアなら石油、フィリピンは難しい側面もあるけれど安全保障上の協力関係がある。ベトナムですらある。中国に関しては、好き嫌いはあっても、簡単には切り離せないくらいの交流はある。

北朝鮮とは貿易関係もない。韓国は何があるかと考える。サムスンの携帯はなくても困らない。アンドロイドのシェアもサムスンは落ち目で、安い携帯はだいたい中国製で占められている。高価格帯は、iPhoneで占められている。

高山 自動車もそうですね。ヒュンダイ自動車なんか、英語のTVコマーシャルだと、聞きようによっては、「ホンダ」に聞こえる。ホンダのCMかと思っちゃう。ホンダのロゴマークHを少し傾けたような、ヒュンダイのマークは明らかなパクリだ。

過去二件の有名な事件が起きていて、一件はロドニー・キング事件。ハイウェイで暴走した黒人、ロドニー・キングを警官が警棒でぶんなぐっている映像が広まって有名になった。そのとき、五リッターのパトカーがキングの運転する一・五リッターのヒュンダイに追いつかなかったということで、一時は有名になった。もう一件は、タイガー・ウッズの自動車事故。これもヒュンダイだった。プロのゴルファーとしては迂闊《うかつ》すぎると批判と同情が出ていた。

渡邉　ヒュンダイの自動車が日本で一番売れたのは、ヒュンダイソナタで、ヨン様ブームのときで三二〇〇台。翌年には八〇〇台に落ちて、ここ最近普通車は一五〜二〇台。メーカーが研究用に潰す。韓国の双竜なんて三年に一台くらい入ってくる。

破裂寸前の不動産バブル

渡邉　ポスコは、もともと新日鉄が技術も資本も提供して解決金でつくられた会社ですけど、そのポスコが新日鉄の特許である特殊鋼板の違法コピー品を、勝手につくって世界中に売り出してしまった。さらにその技術を中国にパクられて、世界に流通することになっちゃった。大損です。

イチゴのブランド品種も韓国に盗まれた。中国、韓国は知的財産権に対する意識が、非常に低い。韓国と日本は、ビジネスとしてもギブ・アンド・テイクの取引が成立しないんですよ。

髙山　付き合うと疲れるね。五輪が始まったらすかさず韓国選手の部屋のバルコニーに反日の横断幕を掲げる。秀吉の朝鮮出兵した際の抗日の英雄とされる李舜臣《イ・スンシン》の言葉「臣にはまだ五〇〇〇万国民の応援と支持が残っています」なんてね。

渡邉　よその国に来ていやがらせするなら帰ればいいじゃない、と誰だって怒りますよ。

しかし、日本にいやがらせをしてる場合ですかね。というより、いまの悲惨な韓国経済の状況をみると、日本に難癖をつけて憂さ晴らしでもしたいのかもしれませんが。

汎用半導体では中国企業に追いあげられ、EVに使用されるリチウム電池などでは突き放されている。

韓国が日米に近づけば中国から経済制裁を加えられ、反対に中国に寄ると輸出管理によってキーパーツの輸入ができなくなる。そうなればスマホなどの完成品がつくれなくなります。

たとえば、半導体の絶縁素材である味の素の「味の素ビルドアップフィルム（ＡＢＦ）」はＣＰＵに使用されており、これをコンデンサーとコンデンサーの間に挟まないと絶縁できないのですが、このシェアがほぼ一〇〇パーセント。ＡＢＦが入らないと半導体がつくれないので、すべての機械がとまることと同然になる。

加えて金融もおかしくなっています。

コロナ禍により世界各国で金融緩和がなされ、韓国も同様なのですが、溢れたマネーの行き場が不動産しかなかった。人が外出しないことでサービス業がダメ、製造業もダメ、それで不動産にカネが向かった。

韓国の不動産は面白くて、「チョンセ」という賃貸制度があります。これは借主が毎月の家賃の代わりに「保証金」として五割から八割のお金を貸主に預けるシステムです。その代り、借主は毎月の家賃を払わなくて済み、引っ越しする際には預けた保証金が全額戻ってくる。日本でいう敷金と間違われますが、韓国では大家がその資金を運用して利益を上げる。その利益を家賃の代りにしているのです。

この制度を不動産投機に利用した「ＧＡＰ投資」が韓国で加熱した。これは投資家がチョンセで入居可能なマンションを購入し、価格上昇後に売却して差益を得る。たとえば、一億円の物件を購入するとして借主のチョンセの補償金が八割の八〇〇〇万円だとすると、投資家は差額の二〇〇〇万を銀行などから借り入れ用意すれば、高級マンションを所有することができる。この仕組みを利用して投資家は二件目、三件目と投資物件をどんどん増やしていった。不動産の価格は膨張し、ソウルは東京よりも高くなった。これを抑えようとしたのが文在寅政権です。

ＧＡＰ投資は銀行からのローンで成り立っていたため、韓国政府は銀行に貸し出さないように規制をかけた。しかも唯一の民族系メガバンクであるウリ銀行でさえもローンを組まなくなって、韓国で大きなニュースになりました。

しかし、その結果バブルがはじければ不動産投機をしていた人間は破滅します。ただでさえ中国人による爆買いは終わって、需要が減りバブルがいつはじけてもおかしくない状況です。

ところで、海外の不動産を買っている「中国人」というけれど、多くは香港人なんです。中国からの逃げ場をつくっておきたい。しかしそういう香港人からすると韓国は魅力がない。移住の一番人気は台湾、言語が一緒で食べ物も近い。次にシンガポール、華僑が多い。これには歴史的にも理由があって、大東亜戦争で日本軍が敗北した際に、蔣介石についいて台湾に逃げた華僑とシンガポールに逃げた華僑がいた土地だったから。いずれにせよそこに韓国は入っていない。華僑たちからしても韓国はいらないのです。

習近平版「文化大革命」が韓国にトドメを刺す

渡邉　ただでさえ苦境の韓国経済に追い討ちをかけるように、習近平が新たな「文化大革命」を開始しました。

たとえば、中国では九月から新学期が始まりますが、中国統一の「国定教科書」とそれにもとづくカリキュラム以外の初等教育が禁止されました。すでに学習塾などの営利目的の教育事業が禁止されており、外国からのリモート教育なども禁止、外国資本の教育への関与も禁止されています。

それに付随して、ゲーム禁止令も出され、未成年は週末は三時間のみしか許されなくなった。さらに、ゲーム、カラオケ、映画、書籍に対する検閲も強化されており、「国定教科書」の内容に沿った「正史」以外の内容は禁止、中国の国益にそぐわないもの、民主化の扇動や暴力的なコンテンツも禁止されています。

また、タレントもネットタレントVtuberなどに対する監視が強化され、事実上活動ができない。早速、韓国の人気グループ「防弾少年団（ＢＴＳ）」がそのターゲットになりました。中国ファンがメンバーの一人の顔写真がプリントされた〝ラッピング飛行機〟を飛ばしたことを理由に、中国SNS「微博（Weibo）」のアカウントが停止されています。

このように、セルフメディアと呼ばれるネットメディア等の活動が事実上できなくなり、国営放送、国営メディアなど「大本営発表」のみが許されることになりました。

香港に関しても、映画などの検閲が強化され、過去の作品も民主化をうたうものや暴力的なコンテンツは上映禁止になっています。今後中国では「国定タレント」とか「国定ドラマ」でないと流せなくなるでしょう。

中国企業はもちろん外資も大きな影響を受けることになる。特に中国依存度が高い韓国経済は直撃します。ゲームや映画、音楽などのコンテンツ産業は中国市場に大きく依存しているからです。

経済において日本と韓国の違いはいくつもあるのですが、大きなもののひとつが自国の市場規模です。日本の一億二〇〇〇万人の市場は世界でも大きく、厚い中間層に支えられてわざわざ外に出なくても自国で供給を消費できるくらいの規模がある。人口だけで見れば韓国は五〇〇〇万人いますが、たとえば音楽市場はCD売り上げが日本の三十分の一しかないといわれている。他の業界も押しなべてそうで、だから韓国はGDPに占める輸出の割合が約四割と異常に高い。すでに二〇二一年九月六日付「中央日報」では「韓国企業の中国法人売り上げが21・1％減少」したと苦境を報じています。これにますます拍車がかかる。

髙山　習近平に韓国は息の根を止められる。

韓国左派と反日日本人の大罪

髙山　最後に紹介したいのは西岡力氏の『日韓「歴史認識問題」の40年』。タイトルどおり氏の四十年にわたる研究の集大成となる作品なんだけど、日本人にとって非常に重要なことが書かれているので少し長くなっても紹介したい。

本書第5章「岩波書店と『T・K生』の罪」には著者自らが騙《だま》された体験として次のような話がある。朴正熙政権の一九七〇年代の韓国は、民主主義の在り方をめぐり朴派と反朴派で激しく対立していた。北朝鮮がいつ侵略してくるかわからない以上、国家としての統一を保持するために、ある程度民主主義を制限するのはやむを得ないとの前者に対し、後者は北朝鮮の脅威に対抗するためにも、韓国がより民主的な国家になることが国民の団結につながり、自由主義諸国も支持してくれるようになるだろうと考えた。いずれにせよ

「反共」という認識は共通で、それは当時の韓国に住みさえすれば誰でもわかるほど北に対する緊張感があった。

ところが岩波書店は七三年から月刊誌「世界」誌上で、韓国在住の匿名知識人「T・K生」による「韓国からの通信」という朴政権を「軍事独裁」として罵倒《ばとう》する連載を開始した。当時高校生だった西岡もこれを読んで朴正煕への怒りから和田春樹たちが主催する韓国大使館への抗議デモに参加したほどだった。

しかし、ここに書かれていたことが実は日本人を騙すために入念に仕組まれた嘘だったことが後に判明する。

西岡自身は大学三年に交換留学生として韓国の延世《ヨンセ》大学に入ったことが「T・K生」へ疑問を抱くきっかけとなった。実際、「T・K生」の正体は池明観《ジ・ミョンクワン》という「日本に半ば『亡命』していた」韓国人だった。「世界」やその連載をまとめた岩波新書を通して十五年にもわたり嘘出鱈目《でたらめ》を書き連ねて日本人の朝鮮観を反朴政権＝親北朝鮮へとミスリードした。それが日本人が二十年以上も拉致《らち》事件を放置した元凶ともなった。

しかしより罪が重いのは和田春樹や当時「世界」の編集長だった安江良介など反日知識人の存在だ。池明観を「T・K生」にしたのは日本の反日知識人たちであることを西岡は示唆している。朝日、岩波、和田春樹といった反日勢力は北朝鮮の人権弾圧には目をつむり、反日的な言説を韓国に輸出しては高まる反日感情をせっせと輸入した。日本と韓国は修復不可能なところまできたわけだ。

「日韓両国民の感情的対立、特に最近の日本人の嫌韓感情を作り出した主犯が北朝鮮と韓国内の左派勢力、そして日本国内の『反日日本人』であり、彼らが作り出した『反日反韓史観』が日韓関係悪化の主因である」（『日韓「歴史認識問題」の40年』）

要するに朝鮮の左派勢力と反日日本人がいなければ、あるいはその事実に両国民が気づけば日韓関係は修復すると西岡はいいたい。考えさせるのは、朴正熙という日本人の心の機微を知り尽くした男が韓国の大統領を務め、西岡氏のような韓国に愛情を持って同国を知悉《ちしつ》した日本の知識人がいても、結果的に日本人は韓国人に騙され続けてきたことです。第6章で日本人を装う韓国人と、韓国人との結婚により事実を曲げる恐れがある言論人やジャーナリストの問題に警鐘を鳴らしたのもこれと重なる。誰と結婚するのも自由だけど少なくとも言論に携わる者は自戒しなければならない。

結局、韓国人は愛されない民族なんだ。だから「断捨離」しかない、というのがやっぱり結論だ。

渡邉　「礼儀正しく無視」するのが正しい付き合い方でしょう。しかし、それ以前に、国際社会のなかで韓国そのものの存在感がなくなっている。繰り返しますがお隣の北朝鮮のほうが核を盾に存在感を示し、国内も治めています。そして習近平の中国、プーチンロシアが存在感を高めるなかで、韓国の存在はすでに消えているといっていい。断捨離するまえに、その相手が消えてしまう可能性がある。ですから韓国をどうするよりも日本がどうするかの決断が重要なのだと思います。

あとがき――断捨離後の半島動乱に備えよ

渡邉哲也

韓国との関係は「断捨離」しかない、というのが本書の結論だ。しかしそれ以前に、韓国は国家としてすでに〝消えている〟のではないか、ということを考えてみたい。

朝鮮半島に関わると禍《わざわい》ばかりだし、歴史的にこの国を誰も欲しがらなかったことは対談で詳述したが、じつは韓国を取りまく国々は「王朝国家」ないし「帝政」を敷いている。逆にいうと独裁体制でなければ国家を維持できないのがいまの国際情勢の潮流なのかもしれない。

北朝鮮は「金王朝」として三代続く。資本主義を導入し民主化することを期待された中国は「習近平独裁」に驀進《ばくしん》している。ロシアも旧ソ連が共産主義に失敗したあとゴルバチョフの民主化が挫折してプーチンで帝政に戻った。

激動のアフガニスタンもそうだが、中央アジア・中東・アラブは帝政でないと国家がもたない。独裁ではないがチベットにしてもダライ・ラマというある意味「帝」の役割の人がいる。わが国も二千年以上続いてきた皇室が国民をまとめている。

こうした大局から結論すれば韓国に民主主義は根付かない、帝政にするしかもたないといえる。したがって、韓国を安定させるには大統領の五年任期をただちに取っ払い文在寅を終身大統領にするほかはないであろう。いまの弱体化した韓国は帝政国家がひしめくなかで消えかけた存在感しか最早ない。

日本にとっては「核の無力化」さえできれば、半島全体が中立化してくれるのが一番いい。なぜなら歴史的にアフガニスタン以上の「帝国の墓場」が朝鮮半島だからだ。ここに関わったがゆえに大日本帝国は崩壊し、米国も朝鮮戦争以後六十年以上足抜きができない。

韓国と国土が隣接しているのは北朝鮮だけだ。しかし韓国はカネを払いたくないし、北朝鮮は自由を持ちこんでほしくない。

中国の国民が味わってしまった「自由の蜜の味」を北朝鮮の人々はまだ知らない。やはり南北統一よりも動乱のほうがリアルなのである。

かつて朝鮮戦争が起きたときのように、半島から大量の難民が対馬に押し寄せる可能性が高い。それなら動乱は日本列島へ容易に渡ることができない冬に起こってほしい。北京五輪前後がいいのではないか。冗談はさておき、日本はそれを見越して早急に備えなくてはならない。

まず、対馬の国境ラインに日本でも開発中である無力化兵器の壁を構築することだ。電子パレスの壁が韓国の船が通るとすべての電子機器を破壊する。ボートも船舶も入ってこれなくなる。何より「渡らせない」という国家の意志と力を示すことが重要である。すでに中国やロシアは難民が入ろうとした場合、軍隊を三八度線まで入れて国境を破壊すると公言している。そうすれば難民は韓国へ向かう。

中国は頭がいいので、北朝鮮との国境の森林に東北虎を放し飼いにする自然自治区を設けている。この虎は絶滅危惧《きぐ》種の「レッドリスト」に登録され、虎に危害を加えようとした者は撃たれても文句はいえない。

しかし日本の場合は法と人道が手足を縛り付ける。不法入国を防ぐには有効な地雷も、地雷・機雷の廃絶を決めた「オタワ条約」に加入しているため、設置することができない。そうでなくても地雷設置の有無を問えば「人道」を盾にメディアが世論を煽るのは目に見えている。地雷以上に国境防衛に強力な兵器を台湾が開発しているが、列島の長い海岸線を守るにはコストが合わない。現時点では日本は日本を守れない、といわざるを得ないであろう。

また、半島で動乱が起きた場合、自衛隊が在留日本人の救出に向かえないことが、今回のアフガニスタン問題で浮き彫りになった。

自衛隊法では「邦人保護」は八十四条三に定められているが、これには相手国政府の許可が必要となる。だがアフガニスタン政府が瓦解したため、八十四条の四で対応せざるを得なかった。八十四条の四は「邦人輸送」である。つまり、法的には自衛隊は「邦人保護」ではなく「輸送」を行ったにすぎない。それにも前提条件がついていて、自衛隊は「安全」な状況でないと活動できないのだ。アフガンの場合は、米軍が安全を守っているエリアをその条件に該当させ、ようやく輸送が行われたのである。

外国に住む自国民の保護や輸送にこのような前提条件が付いていること自体、有事を想定していない。したがって、朝鮮半島で動乱が起きても韓国に住む四万人の日本人を自衛隊は救出に行けない法律になっている。現行法では米軍が安全を担保してないエリアは輸送の対象にならないので、米軍のいないソウルには助けに行くことができない。唯一救えるとすれば釜山、仁川まで逃げられた人くらいだろう。

中国でも同様だ。共産党独裁政権が国内での自衛隊の活動を許すはずがない。保護はできない。輸送をしようにも頼みの米軍は陸戦を忌避しているので、そこにいない可能性が高い。輸送もできない。

これでいいのか、という話なのである。

自衛隊が悪いのではなくこのような法律をつくった立法府の問題だ。与党は法改正をただちに審議し野党も賛成しなくてはならない。それすらできないなら、日本は人命を重んじたことをいいながら国民の命を軽んじていることになる。中国と韓国とどっちが酷いのか、笑えない話だ。

資料

日韓基本条約（日本国と大韓民国との間の基本関係に関する条約）

第一条
両締約国間に外交及び領事関係が開設される。両締約国は、大使の資格を有する外交使節を遅滞なく交換するものとする。また、両締約国は、両国政府により合意される場所に領事館を設置する。

第二条
千九百十年八月二十二日以前に大日本帝国と大韓帝国との間で締結されたすべての条約及び協定は、もはや無効であることが確認される。

第三条
大韓民国政府は、国際連合総会決議第百九十五号（Ⅲ）に明らかに示されているとおりの朝鮮にある唯一の合法的な政府であることが確認される。

第四条
（a）両締約国は、相互の関係において、国際連合憲章の原則を指針とするものとする。
（b）両締約国は、その相互の福祉及び共通の利益を増進するに当たつて、国際連合憲章の原則に適合して協力するものとする。

第五条
両締約国は、その貿易、海運その他の通商の関係を安定した、かつ、友好的な基礎の上に置くために、条約又は協定を締結するための交渉を実行可能な限りすみやかに開始するものとする。

第六条

両締約国は、民間航空運送に関する協定を締結するための交渉を実行可能な限りすみやかに開始するものとする。

第七条

この条約は、批准されなければならない。批准書は、できる限りすみやかにソウルで交換されるものとする。この条件は、批准書の交換の日に効力を生ずる。

以上の証拠として、それぞれの全権委員は、この条約に署名調印した。

千九百六十五年六月二十二日に東京で、ひとしく正文である日本語、韓国語及び英語により本書二通を作成した。解釈に相違がある場合には、英語の本文による。

日韓請求権並びに経済協力協定（財産及び請求権に関する問題の解決並びに経済協力に関する日本国と大韓民国との間の協定）

第一条

1　日本国は、大韓民国に対し、

(a)　現在において千八十億円（一〇八、〇〇〇、〇〇〇、〇〇〇円）に換算される三億合衆国ドル（三〇〇、〇〇〇、〇〇〇ドル）に等しい円の価値を有する日本国の生産物及び日本人の役務を、この協定の効力発生の日から十年の期間にわたつて無償で供与するものとする。各年における生産物及び役務の供与は、現在において百八億円（一〇、八〇〇、〇〇〇、〇〇〇円）に換算される三千万合衆国ドル（三〇、〇〇〇、〇〇〇ドル）に等しい円の額を限度とし、各年における供与がこの額に達しなかつたときは、その残額は、次年以降の供与額に加算されるものとする。ただし、各年の供与の限度額は、両締約国政府の合意により増額されることができる。

（b）現在において七百二十億円（七二、〇〇〇、〇〇〇、〇〇〇円）に換算される二億合衆国ドル（二〇〇、〇〇〇、〇〇〇ドル）に等しい円の額に達するまでの長期低利の貸付けで、大韓民国政府が要請し、かつ、3の規定に基づいて締結される取極に従つて決定される事業の実施に必要な日本国の生産物及び日本人の役務の大韓民国による調達に充てられるものをこの協定の効力発生の日から十年の期間にわたつて行なうものとする。この貸付けは、日本国の海外経済協力基金により行なわれるものとし、日本国政府は、同基金がこの貸付けを各年において均等に行ないうるために必要とする資金を確保することができるように、必要な措置を執るものとする。

前記の供与及び貸付けは、大韓民国の経済の発展に役立つものでなければならない。

2　両締約国政府は、この条の規定の実施に関する事項について勧告を行なう権限を有する両政府間の協議機関として、両政府の代表者で構成される合同委員会を設置する。

3　両締約国政府は、この条の規定の実施のため、必要な取極を締結するものとする。

第二条

1　両締約国は、両締約国及びその国民（法人を含む。）の財産、権利及び利益並びに両締約国及びその国民の間の請求権に関する問題が、千九百五十一年九月八日にサン・フランシスコ市で署名された日本国との平和条約第四条（a）に規定されたものを含めて、完全かつ最終的に解決されたこととなることを確認する。

2　この条の規定は、次のもの（この協定の署名の日までにそれぞれの締約国が執つた特別の措置の対象となつたものを除く。）に影響を及ぼすものではない。
（a）一方の締約国の国民で千九百四十七年八月十五日からこの協定の署名の日までの間に他方の締約国に居住したことがあるものの財産、権利及び利益
（b）一方の締約国及びその国民の財産、権利及び利益であつて千九百四十五年八月十五日以後における通常の接触の過程において取得され又は他方の締約国の管轄の下にはいつたもの

3　2の規定に従うことを条件として、一方の締約国及びその国民の財産、権利及び利益であつてこの協定の署名の日に他方の締約国の管轄の下にあるものに対する措置並びに一方の締約国及びその国民の他方の締約国及びその国民に対するすべての請求権であつて同日以前に生じた事由に基づくものに関しては、いかなる主張もすることができないものとする。

第三条

1　この協定の解釈及び実施に関する両締約国の紛争は、まず、外交上の経路を通じて解決するものとする。

2　1の規定により解決することができなかつた紛争は、いずれか一方の締約国の政府が他方の締約国の政府から紛争の仲裁を要請する公文を受領した日から三十日の期間内に各締約国政府が任命する各一人の仲裁委員と、こうして選定された二人の仲裁委員が当該期間の後の三十日の期間内に合意する第三の仲裁委員又は当該期間内にその二人の仲裁委員が合意する第三国の政府が指名する第三の仲裁委員との三人の仲裁委員からなる仲裁委員会に決定のため付託するものとする。ただし、第三の仲裁委員は、両締約国のうちいずれかの国民であつてはならない。

3　いずれか一方の締約国の政府が当該期間内に仲裁委員を任命しなかつたとき、又は第三の仲裁委員若しくは第三国について当該期間内に合意されなかつたときは、仲裁委員会は、両締約国政府のそれぞれが三十日の期間内に選定する国の政府が指名する各一人

の仲裁委員とそれらの政府が協議により決定する第三国の政府が指名する第三の仲裁委員をもつて構成されるものとする。
4　両締約国政府は、この条の規定に基づく仲裁委員会の決定に服するものとする。
第四条
この協定は、批准されなければならない。批准書は、できる限りすみやかにソウルで交換されるものとする。この協定は、批准書の交換の日に効力を生ずる。
以上の証拠として、下名は、各自の政府からこのために正当な委任を受け、この協定に署名した。
千九百六十五年六月二十二日に東京で、ひとしく正文である日本語及び韓国語により本書二通を作成した。

アフガン「邦人救出」で問題になった自衛隊法

【在外邦人等の保護措置】
第八十四条の三　防衛大臣は、外務大臣から外国における緊急事態に際して生命又は身体に危害が加えられるおそれがある邦人の警護、救出その他の当該邦人の生命又は身体の保護のための措置（輸送を含む。以下「保護措置」という。）を行うことの依頼があつた場合において、外務大臣と協議し、次の各号のいずれにも該当すると認めるときは、内閣総理大臣の承認を得て、部隊等に当該保護措置を行わせることができる。
一　当該外国の領域の当該保護措置を行う場所において、当該外国の権限ある当局が現に公共の安全と秩序の維持に当たつており、かつ、戦闘行為（国際的な武力紛争の一環として行われる人を殺傷し又は物を破壊する行為をいう。第九十五条の二第一項において同じ。）が行われることがないと認められること。

二　自衛隊が当該保護措置（武器の使用を含む。）を行うことについて、当該外国（国際連合の総会又は安全保障理事会の決議に従つて当該外国において施政を行う機関がある場合にあつては、当該機関）の同意があること。

三　予想される危険に対応して当該保護措置をできる限り円滑かつ安全に行うための部隊等と第一号に規定する当該外国の権限ある当局との間の連携及び協力が確保されると見込まれること。

2　内閣総理大臣は、前項の規定による外務大臣と防衛大臣の協議の結果を踏まえて、同項各号のいずれにも該当すると認める場合に限り、同項の承認をするものとする。

3　防衛大臣は、第一項の規定により保護措置を行わせる場合において、外務大臣から同項の緊急事態に際して生命又は身体に危害が加えられるおそれがある外国人として保護することを依頼された者その他の当該保護措置と併せて保護を行うことが適当と認められる者（第九十四条の五第一項において「その他の保護対象者」という。）の生命又は身体の保護のための措置を部隊等に行わせることができる。

【在外邦人等の輸送】

第八十四条の四　防衛大臣は、外務大臣から外国における災害、騒乱その他の緊急事態に際して生命又は身体の保護を要する邦人の輸送の依頼があつた場合において、当該輸送において予想される危険及びこれを避けるための方策について外務大臣と協議し、当該輸送を安全に実施することができると認めるときは、当該邦人の輸送を行うことができる。この場合において、防衛大臣は、外務大臣から当該緊急事態に際して生命若しくは身体の保護を要する外国人として同乗させることを依頼された者、当該外国との連絡調整その他の当該輸送の実施に伴い必要となる措置をとらせるため当該輸送の職務に従事する自衛官に同行させる必要があると認められる者又は当該邦人若しくは当該外国人の家族その他の関係者で当該邦人若しくは当該外国人に早期に面会させ、若しくは同行させることが適当であると認められる者を同乗させることができる。
2　前項の輸送は、第百条の五第二項の規定により保有する航空機により行うものとする。ただし、当該輸送に際して使用する空港施設の状況、当該輸送の対象となる邦人の数その他の事情によりこれによることが困難であると認められるときは、次に掲げる航空機又は船舶により行うことができる。
一　輸送の用に主として供するための航空機（第百条の五第二項の規定により保有するものを除く。）
二　前項の輸送に適する船舶
三　前号に掲げる船舶に搭載された回転翼航空機で第一号に掲げる航空機以外のもの（当該船舶と陸地との間の輸送に用いる場合におけるものに限る。）
3　第一項の輸送は、前項に規定する航空機又は船舶のほか、特に必要があると認められるときは、当該輸送に適する車両（当該輸送のために借り受けて使用するものを含む。第九十四条の六において同じ。）により行うことができる。

●著者略歴

髙山正之（たかやま・まさゆき）

ジャーナリスト。1942年東京生まれ。1965年、東京都立大学卒業後、産経新聞社入社。社会部次長を経て、1985年から1987年までテヘラン支局長を務め、1980年代のイラン革命やイラン・イラク戦争を現地で取材。また、アジアハイウェー踏査隊長としてアジア諸国を巡る。1992年から1996年までロサンゼルス支局長。1998年より3年間、産経新聞夕刊にて時事コラム「髙山正之の異見自在」を執筆。2001年から2007年3月まで帝京大学教授を務める。『週刊新潮』「変見自在」など名コラムニストとして知られる。著書に『日本人が知らない洗脳支配の正体』（ビジネス社）、『アジアの解放、本当は日本軍のお陰だった!』（ワック）、『変見自在』シリーズ（新潮社）の最新刊は『変見自在 コロナが教えてくれた大悪党』など多数。

渡邉哲也（わたなべ・てつや）

作家・経済評論家。1969年生まれ。日本大学法学部経営法学科卒業。貿易会社に勤務した後、独立。複数の企業運営などに携わる。大手掲示板での欧米経済、韓国経済などの評論が話題となり、2009年、『本当にヤバイ！ 欧州経済』（彩図社）を出版、欧州危機を警告し大反響を呼んだ。内外の経済・政治情勢のリサーチや分析に定評があり、さまざまな政策立案の支援から、雑誌の企画・監修まで幅広く活動を行っている。著書に『「韓国大破滅」入門』『2030年「シン・世界」大全』（以上、徳間書店）、『冷戦大恐慌 どうなる世界経済』『GAFA vs. 中国』（以上、ビジネス社）、『「お金」と「経済」の法則は歴史から学べ！』（PHP研究所）、『今だからこそ、知りたい「仮想通貨」の真実』（ワック）など多数。

編集協力：木暮周吾

韓国はどこに消えた!?

2021年11月1日　第1刷発行

著　者　髙山正之　渡邉哲也
発行者　唐津　隆
発行所　株式会社ビジネス社
〒162-0805 東京都新宿区矢来町114番地
神楽坂高橋ビル5階
電話 03(5227)1602　FAX 03(5227)1603
http://www.business-sha.co.jp

カバー印刷・本文印刷・製本/半七写真印刷工業株式会社
〈カバーデザイン〉大谷昌稔
〈本文DTP〉有限会社メディアネット
〈編集担当〉中澤直樹　〈営業担当〉山口健志

ISBN978-4-8284-2334-0